DUCKWORTH'S GERMAN TEXTS

General Editor: K-W. MAURER, Ph.D., Lecturer in German, University College, London

Zur Geschichte der Religion und Philosophie in Deutschland

Heine: Zur Geschichte der Religion und Philosophie in Deutschland - - - edited with Introduction and Notes by C. P. MAGILL, M.A., Ph.D., Lecturer in German, University College, London

GERALD DUCKWORTH & CO. LTD.
3 HENRIETTA STREET, LONDON, W.C.

PRINTED IN GREAT BRITAIN
BY WESTERN PRINTING SERVICES LTD., BRISTOL

CONTENTS

PREFACE

Zur Geschichte der Religion und Philosophie in Deutschland is itself a masterly simplification of a difficult subject and was written for a public which would not have found the allusions in which it abounds unduly recondite. But the intellectual climate of the 1830's differed widely from our own and it has been felt desirable to equip the present edition with enough critical material to spare the reader the tedium of reference to authorities and to enable the work to be seen in true perspective.

The text is based on three of the more important critical editions of Heine's works. These are: *Heinrich Heines sämtliche Werke. Herausgegeben von Prof. Dr. Ernst Elster. Kritisch durchgesehene und erläuterte Ausgabe* (Bibliographisches Institut, 1887–90); *Heinrich Heines sämtliche Werke*, ed. Oskar Walzel (Insel, 1911–20); *Heinrich Heine. Sämtliche Werke*, ed. Fritz Strich (Georg Müller, 1925). References in the introduction and notes to Heine's works are in all cases to the Elster edition.

My thanks are due to Professor L. A. Willoughby and Dr. K–W. Maurer for encouragement and help, and to Professor M. T. Smiley for the solution of problems beyond the scope of a modern linguist.

C. P. MAGILL

UNIVERSITY COLLEGE
LONDON

INTRODUCTION

"L'esprit est toujours la dupe du cœur"
—La Rochefoucauld

I. Heine as Interpreter of Germany to France

THE quality of *pietas* was not marked in Heine and he would be the last to demand it of reader or editor. He excites, nevertheless, an urge to extol his virtues and extenuate his vices. No German writer has been the victim of more wilful misunderstanding, or should one say, in fairness to his critics, that none provoked animosity with a more careless regard for his own reputation? *Zur Geschichte der Religion und Philosophie in Deutschland* is one of his most provocative works and not the least of its attractions is the manifold interpretation of which it is capable. Those well disposed to Heine will find in it a pleasing confirmation of their intellectual prejudices; those who abhor his views will relish the patent weakness of his exposition and will readily grasp the weapons which he places in their hands on every page. It is topical enough to compel reflection upon Heine's conclusions and admiration for his prophetic insight. It is, on the other hand, sufficiently outmoded to permit dispassionate enjoyment of Heine's rhetoric and lucid prose; it inspires the peculiar affection appropriate to the near-antique.

Zur Geschichte der Religion und Philosophie in Deutschland is in no sense a complete work and forms only part of a general survey of German culture undertaken primarily for the benefit of Heine's French public. The other main con-

B   I

stituents were *Die Romantische Schule* and *Elementargeister*, the three works together forming the major part of the first edition of *De l'Allemagne*.[1] To these must be added Heine's *Geständnisse*, which were included in the second edition of *De l'Allemagne* and incorporated the more important sections of his fragmentary *Briefe über Deutschland*.[2] Heine was unable, for practical reasons, to publish the various constituents of his survey in chronological order and under a collective title.[3] His writings interpreting Germany to France never, in fact, received a definitive form in German. In French, some coherence was achieved in the second edition of *De l'Allemagne*, but even in the preface to this Heine is at pains to stress its incompleteness.[4]

The circumstances of publication, coupled with the intervention of the censor, bore with particular force upon *Zur Geschichte der Religion und Philosophie in Deutschland*, causing much misunderstanding of its purpose.[5] Heine himself lays emphasis in the prefaces to both German editions of the work upon its fragmentary nature. It has, none the less, as the author is at pains to point out, an "innere Einheit und äußerliche Geschlossenheit" which entitle it to be regarded as a finished work of art and which justify independent publication.

The general purpose of the work was to reveal the nature and direction of the intellectual energies at work beneath the impassive surface of the German body politic, and there is no doubt that Heine undertook his mission with all the

[1] *Œuvres de Henri Heine*, V and VI. *De l'Allemagne*, 1 and 2. (Paris, 1835.)
[2] *Werke*, VI, 15 ff., 531 ff.
[3] See preface to *Die Romantische Schule* (*Werke*, V, 213).
[4] See *Werke*, IV, 568.
[5] In the Elster edition, as opposed to that of Strodtmann, *Zur Geschichte der Religion und Philosophie in Deutschland* appears as part of the second volume of *Der Salon*, the form in which it was originally published in German. Later editors follow this example.

earnestness permitted by his temperament. The task of
interpretation was long overdue, for the vision of Germany
cherished in France and England bore little relation to the
reality. English observers of Germany in the first half of
the nineteenth century, such as William Howitt and Samuel
Laing,[1] lacked the perspicacity of Crabbe Robinson or Hume
and had an eye chiefly for those features of German life
which offended their own prejudices. Nor were the French
much better served by Mme de Staël and Victor Cousin,
against whom Heine directs such vigorous criticism. The
task was not easy, for there were in Germany, as Mme de
Staël discovered, "trop d'idées neuves et pas assez d'idées
communes en circulation pour connaître les hommes et les
choses".[2] Despite the brilliance of her *aperçus* and her
occasional telling generalizations, her own picture of Germany was falsified by her ethical presumptions and her
scant historical sense. Her book was written, after all, less
to illuminate Germany than to reprove France—a weakness
on which Heine was not slow to seize.

His own view of Mme de Staël, charitable enough in *Die
Romantische Schule*,[3] is expressed more bluntly in his
Geständnisse.[4] He accuses her roundly of exploiting German "spiritualism" in order to castigate French "materialism" and of being the focus of aristocratic and Jesuitical
intrigues. Since his arrival in France it had been one of
his main tasks to dispel the illusions propagated by her; he
copied the title of her book with direct polemical intent.
Many years before he had sounded a similar note in the
preface to the first edition of his own *De l'Allemagne*: "Je

[1] William Howitt, *The Rural and Domestic Life of Germany*. (London,
1846.)

Samuel Laing, *Observations on the Social and Political Life of the European Peoples*. (London, 1850.)

[2] Mme de Staël, *De l'Allemagne*. (*Œuvres complètes*, Paris 1820, II,
18.)

[3] *Werke*, V, 215–16.   [4] *Ibid.*, VI, 22 ff.

le déclare franchement: je n'ai cessé d'avoir en vue le livre
de cette grand'mère des doctrinaires, et c'est dans une intention de redressement que j'ai donné au mien ce même
titre: *De l'Allemagne.*"[1]

Victor Cousin, although a less formidable rival for the
ear of the French public, fared little better. Heine was
content, in *Zur Geschichte der Religion und Philosophie in
Deutschland*, to draw attention to Cousin's "providential
ignorance" of German philosophy; but the sharp attack
made upon him in the appendix to *Die Romantische
Schule* invites the assumption that among the illusions
concerning Germany which Heine wished to dispel were
those fostered by the great Eclecticist. It is more pro-
bable, however, that Heine's hostility was aroused less by
Cousin's interpretation of German philosophy than by the
general trend of the philosopher's activities after he had
been swept into eminence and power by the July Revolution. Cousin's attempt, in his capacity of Director of the
École Normale and member of the Conseil Supérieur de
l'Instruction Publique, to regiment thought in France and
to make the *spiritualisme* so abhorred by Heine into a philosophy of state, ranged him on the side of the forces which
the poet was then intent to destroy. Later, in *Lutetia*, he
receives more temperate treatment and Heine is even willing
to parade his intimacy with the great man.[2]

It may well be that Heine's exposition of German religion
and philosophy is as disingenuous as that of Mme de Staël
and Cousin. He had, however, certain major advantages as
an interpreter. Perhaps the greatest of these was the fact
that, as a French critic has pointed out, he never ceased to
think and write on two national planes.[3] His freedom from

[1] *De l'Allemagne, Œuvres de Henri Heine* (Paris, 1835), V, xiii.
[2] *Werke*, VI, 274.
[3] Edmond Vermeil, *Henri Heine. Ses vues sur l'Allemagne et les révolutions européenes.* (Paris, 1939.)

the Germanocentric illusions common among his contemporaries can be admitted without prejudice to his affection for Germany; therein lay the secret of his clear vision. He was sufficiently within the orbit of German culture to distinguish between the reality and its projection in thought and literature; he was sufficiently outside it to appreciate its trend. But his insight, although penetrating, was not sustained. Heine was not, by his own confession, an abstract thinker and his attempt, in *Zur Geschichte der Religion und Philosophie in Deutschland*, to rationalize his intuition has obvious weaknesses.[1] He embarked upon his task equipped with but slender intellectual resources. He may eke them out with journalistic skill but the stratagems by which he begs question after question are all too clear. Philosophers, theologians, and historians will find much with which to quarrel while the general reader may take exception to Heine's tendency to wander from the point in order to tell some irrelevant anecdote. Yet in one sense his *obiter dicta* are the soul of the book. Heine's arguments will convince few, but his artistry will charm many and the conclusions to which those arguments inconsequently lead have been confirmed by the logic of history.

II. Reception of *Zur Geschichte der Religion und Philosophie in Deutschland* in France and Germany

Zur Geschichte der Religion und Philosophie in Deutschland heightened the animosity of Heine's German critics without earning him any compensatory laurels in France. After his arrival in Paris, the hostility of the German authorities and the growing estrangement from his German public which

---

[1] *Geständnisse* (*Werke*, VI, 48): "Ich war nie abstrakter Denker . . ."

can be sensed in the preface to the first volume of the *Salon*
impelled Heine to seek an alternative audience. The success
of his articles in the *Revue des deux mondes* and of *De la
France* (a translation of *Französische Zustände*) induced his
publisher, Eugène Renduel, to plan a collected edition of
his works. But *De l'Allemagne*, which formed the fifth and
sixth volumes of this edition, was not a successful publish-
ing venture and did not reach a second edition until 1852,
seventeen years later. So unsuccessful, indeed, was the 1835
edition that when Renduel attempted to dispose of *De
l'Allemagne* to his colleague Charpentier, the latter refused
it with the comment: "C'est du dévergondage politique,
philosophique, etc., sur tous les points enfin: et l'esprit,
qui s'y trouve quelquefois, sent diablement le cruchon de
bière. C'est d'un étudiant allemand échauffé!"[1] It was not
Heine's prose but his poetry which gained him a public
in France, and his first real success was with *Atta Troll* in
1847. Evidence that *Zur Geschichte der Religion und Philosophie in Deutschland* had a definite, even if transitory, influence upon French public opinion is, however, afforded
by Heine's statement that the concluding passage was reprinted in countless periodicals and was even discussed in
the Chambre des Députés.[2]

It is in this passage that Heine warns his French public
of the future translation into action of the German intellectual revolution and it is precisely this aspect of the work
which was ignored by his critics in Germany. This can be
attributed to the suppression by the censor of the passage
in question—together with others reinforcing Heine's prophecy.[3] The result was that *Der Salon: Zweiter Band*, the

[1] Adolphe Jullien, *Le Romantisme et l'éditeur Renduel* (Paris, 1897),
p. 26. Quoted by Alfred Schellenberg, *Heinrich Heines französische
Prosawerke. Germanische Studien*, Heft 14. (Berlin, 1921.)
[2] See page 21 of this edition.
[3] See letters to Campe of 7 April 1835 and 20 December 1836, *Heinrich
Heines Briefwechsel*, ed. F. Hirth, München, 1914–20, II, 64, 130.

form in which the work was introduced to Heine's German public, gave a misleading impression of the author's purpose. It is thus not surprising that Wolfgang Menzel, in his review of the book, should inveigh primarily against the treatment of religion in Heine's argument. Aware only dimly, if at all, of the conclusions to which the argument was intended to lead, this active opponent of young Germany found it easy to conclude that the sole purpose of the book was to hasten the end of Christianity and the advent of a heathen Republic in which the principle of life should be unbounded sensual enjoyment.[1] There was less excuse for Ludwig Börne, who, in his review of the first edition of *De l'Allemagne*, had the full text before him and was besides well aware of the general drift of Heine's thought. He relies upon the tasteless personal abuse which passed for criticism at the time and directs his irony chiefly at the solemnity with which Heine assumed, indeed monopolized, the mantle of prophet and interpreter of Germany.[2]

Of greater interest are the references to the work by the authorities in Germany. Heine points out that political rather than moral motives guided the hand of the Prussian censorship.[3] But it was found appropriate when making official pronouncements on the book to lay the main stress on its moral perversity. The first volume of *Der Salon* had been banned on its appearance in 1833 and the ban extended to include all further volumes. None the less, when the Prussian Foreign Minister received from his Ambassador in Hamburg the first two volumes, he felt it necessary to

[1] *Morgenblatt für gebildete Stände, Literatur-Blatt*, Numbers 30, 31, (Tübingen, 23 and 25 March 1835). The review is reprinted in part in *Werke*, IV, 150–2.

[2] Börne's review in the *Bulletin Scientifique du Réformateur* will be found in his *Gesammelte Schriften* (Wien, 1868), VII, 139 ff. See also Karl Rosenberg's article "Heine und Börne über Deutschland" (1835) in *Geistige Feldzüge* (Berlin, 1857), where it is extensively quoted.

[3] Page 20 of this edition.

make a special request to the *Obercensurkollegium* for their
suppression, stressing their revolutionary and irreligious
tendencies.[1] Some months later, the *Bundestag* issued its
general prohibition of the works of Young Germany, which
contained the following special reference to Heine: "Neu
ist besonders die von Heine zur Verwendung gebrachte
eigens auf die Verführung der Jugend berechnete innige
Verbindung der Blasphemie mit der Anregung der Sinnlichkeit, sowie die eigenthümliche Verflechtung St. Simon-
istischer und phantastischer Ideen und die besonders von
dem letztgenannten Schriftsteller ausgehende eigenthümliche Verarbeitung aller dieser Elemente zu einem vollstän-
digen System der Gottesleugnung und Unsittlichkeit,
welches Heine im zweiten Band seines *Salon* sich nicht
scheut, als neue Weltreligion zu proklamiren."[2]

III. HEINE'S CREED AND ITS SOURCES

Heine must be allowed to argue his own case but his
ideas are conditioned to such a degree by the spiritual
climate of the 1830's that some reference to their source is
indispensable. Furthermore, in view of the charges levelled
against his book by the authorities, an assessment of his
purpose must be made. Some years after the publication
of the work, he insisted that its true tendency was patriotic
and democratic but had been obscured by the manner of its
publication: "Das Buch wurde gehörig abgeschlachtet und
dergestalt vergemetzgert, dass seine ganze patriotische Bedeutung verloren ging, dass man eine gewisse theologische
Polemik, die bittere Schale, für den eigentlichen Kern

---

[1] L. Geiger, *Das junge Deutschland und die preußsche Zensur* (Berlin,
1900), p. 32.
[2] ibid., pp. 33-4.

desselben halten konnte, dass dadurch zur Verkennung und
zur Verleumdung meines Strebens vollauf Gelegenheit ge-
boten ward."[1] Elsewhere, he includes among his intentions
a desire to counter Mme de Staël, to broadcast the secrets
of the German philosophical schools, and to shed light upon
a mysterious land.[2] Finally, there is the dedication of the
first edition of *De l'Allemagne* to Enfantin, the patriarch of
the Saint-Simonian religion, suggesting that the propaga-
tion of this or some kindred creed was his chief purpose.[3]
Whatever Heine's original intention was, the impression
now left upon the reader is that he is listening to a declara-
tion of faith, made with a fervour and conviction not usually
associated with the author.

Before his arrival in France, Heine's creed was ill defined.
In ethics a hedonist, in politics a liberal, and in religion a
Pantheist of the Spinozist school, he was unable to syncre-
tize his wayward and conflicting opinions until closer acquaintance with Saint-Simonism widened his philosophic
outlook. *Zur Geschichte der Religion und Philosophie in
Deutschland* bears witness to this change. Three main
themes are developed: firstly, the conflict between spiritualism and sensualism in German culture; secondly, the defeat,
in the course of a religious and philosophic revolution, of
spiritualism and the restoration of the pantheism native to
Germany; thirdly, the transformation into action of the
revolution already achieved in the field of thought. The
fusion of the themes is far from perfect but that Heine was
able to attempt a synthesis at all was in a large measure due
to the influence of Saint-Simonism upon him. This has
been exhaustively analysed and it is enough here to indicate

---

[1] *Schriftstellernöthen*—an open letter to Campe of 3 April 1839 (*Werke*, VII, 341).
[2] *Geständnisse* (*Werke*, VI, 40 ff.). Preface to second French edition (*Werke*, IV, 569).
[3] See Appendix.

the traces which it left upon *Zur Geschichte der Religion und Philosophie in Deutschland*.[1]

The Saint-Simonian philosophy of history, and interpretation of Christianity in particular, determined his choice of method; the application to philosophy and religion of the dualism *sensualisme-spiritualisme* produced with gratifying ease the conclusions to which he was already committed. The variety of Pantheism which he expounds is akin in many respects to that of Enfantin.[2] Enfantin, it is true, took exception to Heine's praise of Spinoza but Heine acknowledges his affinity in *Zur Geschichte der Religion und Philosophie in Deutschland* and in *Die Romantische Schule* pays particular tribute to the Saint-Simonian doctrine of the unequal manifestation of God in Nature.[3] His ethical creed conforms, at least in spirit, to the Saint-Simonian and he echoes Enfantin's view that "l'aspect le plus frappant, le plus neuf, du progrès que l'humanité est aujourd'hui appellée à faire" consists in the rehabilitation of the flesh.[4] By providing him with a humanitarian creed compatible with his own temperamental needs, Saint-Simonism helped to generate the emotional inspiration of the book. Heine diverged at many points, of course, from orthodox Saint-Simonism, and it is worth noting that even when most strongly under the influence of the religion he disclaims membership of the church.[5] He was attracted by certain

---

[1] E. M. Butler, *The Saint-Simonian Religion in Germany* (Cambridge, 1926), pp. 87 ff.

Henri Lichtenberger, *Henri Heine. Penseur* (Paris, 1905), pp. 100 ff.

[2] Pages 88 ff. of this edition.

[3] For Enfantin's reply to Heine's dedication see *Œuvres de Saint-Simon et d'Enfantin* (Paris, 1865–78), X, 114. See also E. M. Butler, op. cit., p. 149, and Henri Lichtenberger, op. cit., pp. 129 ff.

[4] *Œuvres de Saint-Simon et d'Enfantin*, XIV, 44.

[5] Preface to *Geschichte der neueren schönen Literatur in Deutschland* (April 1833) and again immediately before the appearance of the first edition of *De l'Allemagne*. See E. M. Butler, op. cit., pp. 107–8, and *Werke*, V, 527–80 and VII, 300.

aspects only of Saint-Simonism and selected those which gave coherence and heightened significance to his other beliefs. But among the influences shaping his creed that of Saint-Simonism must be considered paramount.

While Saint-Simonism doubtless inspired Heine to give historical significance to his own pantheistic beliefs, his theory that Pantheism was the secret religion of Germany, and that the destruction of Deism by German philosophy had made way for its re-emergence, is more specifically German in origin.[1] Heine shared with his Romantic contemporaries a keen speculative interest in Germanic antiquity and a partiality to the more sensational aspects of medieval life.[2] Although his projected book on witchcraft was never written, *Elementargeister* and to a lesser extent *Zur Geschichte der Religion und Philosophie in Deutschland* testify to the zeal with which he studied the beliefs and superstitions of the German people. His reading was wide and indiscriminate. The *Deutsche Sagen* of the brothers Grimm, the curious collections of Dobeneck, Kornmann Remigius, and Prätorius, were alike utilized.[3] But Heine's interests were in no sense antiquarian and his preoccupation with the world of demons and sprites led him to conclusions remote from orthodox Romanticism. His primary concern with the popular beliefs of Germany was as evidence of the survival of Pantheism and as illustrations of the transition from Paganism to Christianity.

The theme of the gods in exile had a lasting attraction

[1] See pages 94–95 of this edition.

[2] See Georg Mücke, *Heinrich Heines Beziehungen zum deutschen Mittelalter*. (Berlin, 1908.)

[3] F. L. F. von Dobeneck, *Des deutschen Mittelalters Volksglauben und Heroensagen, herausgegeben und mit einer Vorrede begleitet von Jean Paul*. (Berlin, 1815.) Heinrich Kornmann, *Templum naturae historicum*. (Darmstadt, 1611.) Nicolai Remigius, *Daemonolatria, das ist von Unholden und Zaubergeistern*. (Frankfurt, 1598.) Johannes Prätorius, *Anthropodemus plutonicus*. (Magdeburg, 1666–7.)

for Heine. His interest was no doubt originally stimulated
by that complex of ideas inherited from German Classicism
of which Schiller's *Über naive und sentimentalische Dichtung*
and *Die Götter Griechenlands* are an expression. But in *Zur
Geschichte der Religion und Philosophie in Deutschland* it is
the gods of ancient Germany and not those of Greece which
excite his pity. He devotes much space to the process of
Entgötterung and *Verteuflung*, propounding views which
find small confirmation in modern authorities.[1] Here is,
indeed, one of the most fragile links in his argument. He
can hardly be held to have proved his claim that the religion
of Germanic antiquity was the direct ancestor of that
natural philosophy which he considered the culmination of
the German philosophic revolution.[2]

In his treatment of Pantheism, Heine drew a series of
highly personal conclusions from the ideas which formed
the common intellectual heritage of his generation. In
analysing the practical implications of the developments
which he observed in German thought, he shows equal
originality and a sharper vision. To quote one of his French
critics: "D'avoir compris que se préparait en Allemagne à
côte de la révolution francaise et parallèlement à elle, une
révolution philosophique qui prendrait plus tard un aspect
déterminé au point de vue politique, tel est l'insigne mérite
de Heine."[3] His views on the German revolution are the
more striking for having been propounded a decade before
the period in which the Young Hegelians seized upon the
revolutionary implications of Hegel's method and in which
the foundations of the Marxist philosophy were laid. They
have, however, a Hegelian flavour. It is true that Heine

[1] Cf. Hermann Schneider, *Die Götter der Germanen* (Tübingen, 1938)
and *Germanische Altertumskunde* (München, 1938).

[2] Cf. *Elementargeister* (*Werke*, IV, 594), and page 152 of this edition,
where Heine interprets even the mediaevalism of the Romantics as a
veiled nostalgia for Germanic pantheism.

[3] Edmond Vermeil, op. cit., p. 20.

treats the philosopher in cursory fashion in *Zur Geschichte der Religion und Philosophie in Deutschland* but he had, after all, heard Hegel in Berlin in the twenties and in later years acknowledged, indeed exaggerated, his influence upon his early beliefs.

To suggest Hegel's doctrine of the realization of the absolute Idea as the inspiration of Heine's prophecy is not to deny its original and dramatic quality. A juster criticism is that Heine appears to have misunderstood the form of the revolution of which he speaks. His later comments upon the views put forward in *Zur Geschichte der Religion und Philosophie in Deutschland* leave no doubt that he saw in the Communism so abhorrent to him the confirmation of his prophecy.[1] Communism was indeed the child of German philosophy; its victory was, however, to be celebrated on German soil in a fashion undreamt of by Heine. But although he may have misjudged the direction to be taken upon their release by the energies latent in Germany, his insight into their nature and explosive possibilities was unrivalled.

IV. HEINE'S LATER RECANTATION

Heine did not shrink from making capital of his own spiritual crises and a comment upon the disavowal of his earlier beliefs, made in the preface to the second German edition of *Zur Geschichte der Religion und Philosophie in Deutschland* and elsewhere, may be forgiven.[2] After ill-health and disillusionment had caused the final renunciation

---

[1] *Geständnisse* (*Werke*, VI, 45–6). For Heine's views on the German revolution see also *Französische Zustände* (*Werke*, V, 136 ff.) and his letter to Cotta of 1 March 1832 (*Briefwechsel*, II, 16).

[2] See *Geständnisse, Briefe über Deutschland* and the *Nachwort zum Romanzero* (*Werke*, I, 483 ff.).

of that "gottfreudige Frühlingsidee" of which Heine, in the
first volume of *Der Salon*, had protested himself the slave,
he strove to counter the noxious effect of those writings,
written before he was in a state of grace, which he could not,
or would not, completely suppress. But in the nature of his
conversion and the manner of his recantation he shows himself as perverse, elusive, and individualistic as ever. Always
cavalier in his handling of ideas and their sources, he attributed to Hegel a major share in the moulding of the beliefs
now cast aside. Of his debt to Saint-Simonism he has no-
thing to say. The loss of Heine's own study of Hegel, the
manuscript of which he burned after working on it for two
years in Paris, makes a fair judgment of the issue difficult.
It has, however, been studied in detail and it is reasonable
to assume a certain innocent self-deception on the part of
Heine.[1] Repentant he may have been, but he would be
unlikely to admit having escaped the influence of the greatest thinker of his time and, disillusioned as he was with
Saint-Simonism, may well have wished "to father his errors
upon a worthy sire".[2]

Heine never found a substitute for his early enthusiasms
and never again attempted a philosophic synthesis of his
beliefs. Steering a course between the Scylla of Judaism
and the Charybdis of Christianity, he evolved a creed personal in the strictest sense of the word—a variety of Deism
well suited to his needs, but also bounded by them. It
would be uncharitable to deny to Heine, of all men, the right
to choose his own means of salvation. The very limitations,
however, of his final creed serve to emphasize the singular
position which *Zur Geschichte der Religion und Philosophie
in Deutschland* occupies among his works. It is a record of
his only attempt to integrate his own powerful individuality
with the larger realities beyond it. After 1834, although he

[1] See E. M. Butler, op. cit., pp. 163 ff.   [2] Ibid., p. 167.

continues to canvass the old problems and to elaborate the old spiritualist-sensualist dualism, now in terms of Judaism and Nazarenism, now in terms of Hellenism and Christianity, signs of spiritual fatigue appear. He had found himself incapable of realizing in his own life the synthesis once so confidently, advocated and having reached that standpoint it was but a step for the individualistic Heine to deny that it was possible at all.

V. HEINE'S PROSE STYLE

Heine's mastery of German prose style is generally, but by no means unreservedly, conceded by his German critics. A certain mannered quality in his work cannot be denied— he himself confessed early in his life: "Ich bin in eine Manier eingeraten, von der ich mich schwer erlöse." But a mannerism of long standing is not far removed from a genuine characteristic and the idiosyncrasies of style which Heine displayed with remarkable consistency from his first Berlin letters in the *Rheinisch-Westfälische Anzeiger* to his last *Geständnisse* smack so pungently of his personality that it is open to doubt if he could possibly have written otherwise. His merits as a writer of prose do not appear, of course, to such advantage in *Zur Geschichte der Religion und Philosophie in Deutschland* as in, for example, the *Reisebilder*. There his nimble mind had perfect freedom of movement, whereas in the former he was hampered by his desire to convert his readers and by an unaccommodating subject. Yet from this flinty material his metallic wit strikes sparks of no mean brilliance and the connoisseur of Heine will find there in some degree all the qualities which grace his other prose works.

Foremost among these is wit—in the case of Heine an attitude of mind which manifests itself differently according to the object upon which it bears. In his treatment of religion and philosophy it takes the form, not of verbal play (although he takes shameless liberties with the virtue of the German language), but rather of ideological play. The constant friction between solemn idea and frivolous phrase gives a high polish to a potentially dull exposition. This may not be to the taste of all readers of Heine. In the words of one critic: "Er hat die Methode eingeführt, ernste Gegenstände zu behandeln, ohne ihrer mächtig geworden zu sein, und sich da wo die Kenntnisse versagen mit witzigen Seitensprüngen zu behelfen, um die Aufmerksamkeit abzulenken und anderweit zu beschäftigen."[1] Heine's "method" cannot, however, be dismissed so lightly. "Nur dann ist mir der Witz erträglich", he wrote, "wenn er auf einem ernsten Grunde ruht."[2] The levity with which he treats a subject varies in inverse ratio to its essential gravity and in his study of German thought there is no doubt that he was, if not in deadly, at least in lively earnest.

Heine's native wit enabled him to deal lightly with the weighty problems which he discusses. He contrives to give body to the most abstract ideas by presenting the history of German thought in a series of portraits and caricatures. Those of Luther, Lessing, Kant, and Spinoza on the one hand and that of Schelling on the other have a startling immediacy. His acute sense of the ease with which interest can fade into boredom makes him a master of the well-timed digression and in the turning of even his most commonplace phrases can be detected an awareness that the form is as vital as the content of an idea.

Heine's prose has many features in common with that of his contemporaries and reflects the change in the general

---

[1] Karl Goedeke: *Grundriß zur Geschichte der deutschen Literatur aus den Quellen* (2nd edition, Vol. VIII, Div. I, pp. 537 ff.).
[2] To Moser, 1 July 1825. *Briefwechsel*, I, 367.

tenor of literary life in Germany in the early nineteenth century. He had, it is true, many imitators but his style is itself to some extent a concession to the newspaper age. The Young German group was journalistic in character and there is something of the feuilleton about most of Heine's prose works. Many were written for French or German periodicals and others for inclusion in miscellanies (such as *Der Salon*) akin to the contemporary magazine. In such an age it was natural that an attempt should be made to impart a modish gloss to the homespun texture of German prose and to substitute for solemn exhortation a tone of witty persuasion. Such an attempt was essential in a work like *Zur Geschichte der Religion und Philosophie in Deutschland*, written for a Parisian public of sensitive taste. It would be unfair to attribute to Heine too great a degree of wilful Gallicism but reasonable to see certain of his stylistic qualities as a result of outside pressure. Yet the virtues which distinguish his prose are above all those which also distinguish his verse and which are part and parcel of his personality. They are lucidity, eloquence, and that nonchalance in respect of ideas so apparent in the present work; it possesses the virtue, rare enough in German literature, of superficiality.

To apply to Heine's thought the standards of a sober logic is to do him an injustice. He was, after all, a poet, and to an unusual degree his ideas were the creatures of his moods. "In der Tat", he wrote in *Die Romantische Schule*, "die Menschen sind ihrem innersten Wesen nach lauter Doktrinäre; sie wissen immer eine Doktrin zu finden, die alle ihre Entsagungen oder Begehrnisse justificiert."[1] He might well have proved his point by citing *Zur Geschichte der Religion und Philosophie in Deutschland*. The identity of thought and feeling which it reveals would no doubt have

[1] *Werke*, V, 326–7.

C

been more appropriate to the world of the imagination
which was Heine's true home. But he lived in an age which
allowed no lasting sojourn in that untroubled region. His
misfortune was less that he shared the obsession of his
generation with political and religious problems than that
he was forced to fight his intellectual battles in public, and
on paper; for in the world of abstract ideas he was an
uneasy stranger. Yet the qualities which mar *Zur Geschichte
der Religion und Philosophie in Deutschland* as a philosophical treatise heighten its value as an index to a remarkable
personality—and to a critical period in German culture.
To savour it fully one must penetrate the façade of ideas
and recapture the emotions which inspired them. It is a
work of which the author might have written:

> Love made me poet,
> And this I writt,
> My harte did doe yt,
> And not my witt.[1]

[1] From an epitaph in Burford Church, quoted by F. L. Lucas, *The
Decline and Fall of the Romantic Ideal*. (Cambridge, 1936.)

VORREDE ZUR ERSTEN AUFLAGE

ICH MUSZ DEN deutschen Leser darauf besonders aufmerksam machen, daß diese Blätter ursprünglich für eine französische Zeitschrift, die „Revue des deux mondes", und zu
einem bestimmten Zeitzweck abgefaßt worden. Sie gehören
nämlich zu einer Überschau deutscher Geistesvorgänge,
wovon ich bereits früher dem französischen Publikum einige
Teile vorgelegt, und die auch in deutscher Sprache als Bei-
träge „zur Geschichte der neueren schönen Literatur in
Deutschland" erschienen sind. Die Anforderungen der
periodischen Presse, Übelstände in der Ökonomie derselben, Mangel an wissenschaftlichen Hülfsmitteln, französische Unzulänglichkeiten, ein neulich in Deutschland
promulgiertes Gesetz über ausländische Drucke, welches
nur auf mich seine Anwendung fand und dergleichen Hem-
mungen mehr, erlaubten mir nicht, die verschiedenen
Teile jener Überschau in chronologischer Reihenfolge und
unter einem Gesamttitel mitzuteilen. Das gegenwärtige
Buch, trotz seiner inneren Einheit und seiner äußerlichen
Geschlossenheit, ist also nur das Fragment eines größeren
Ganzen.

Ich grüße die Heimat mit dem freundlichsten Gruße.
Geschrieben zu Paris, im Monat Dezember 1834.

Heinrich Heine.

VORREDE ZUR ZWEITEN AUFLAGE

ALS DIE ERSTE Auflage dieses Buches die Presse verließ, und ich ein Exemplar desselben zur Hand nahm, erschrak ich nicht wenig ob den Verstümmelungen, deren Spur sich überall kund gab. Hier fehlte ein Beiwort, dort ein Zwischensatz, ganze Stellen waren ausgelassen, ohne Rücksicht auf die Übergänge, so daß nicht bloß der Sinn, sondern manchmal die Gesinnung selbst verschwand. Viel mehr die Furcht Cäsars, als die Furcht Gottes, leitete die Hand bei diesen Verstümmelungen, und während sie alles politisch Verfängliche ängstlich ausmerzte, verschonte sie selbst das Bedenklichste, das auf Religion Bezug hatte. So ging die eigentliche Tendenz dieses Buches, welche eine patriotisch-demokratische war, verloren, und unheimlich starrte mir daraus ein ganz fremder Geist entgegen, welcher an scholastisch-theologische Klopffechtereien erinnert, und meinem humanistisch-toleranten Naturell tief zuwider ist.

Ich schmeichelte mir anfangs mit der Hoffnung, daß ich bei einem zweiten Abdruck die Lakunen dieses Buches wieder ausfüllen könne; doch keine Restauration der Art ist jetzt möglich, da bei dem großen Brand zu Hamburg das Original-Manuskript im Hause meines Verlegers verloren gegangen. Mein Gedächtnis ist zu schwach, als daß ich aus der Erinnerung nachhelfen könnte, und außerdem dürfte eine genaue Durchsicht des Buches mir wegen des Zustandes meiner Augen nicht erlaubt sein. Ich begnüge mich damit, daß ich nach der französischen Version, welche früher als die deutsche gedruckt worden, einige der größern ausgelassenen Stellen aus dem Französischen zurück übersetze und interkaliere. Eine dieser Stellen, welche in unzähligen französischen Blättern abgedruckt, diskutiert und auch in der vorjährigen französischen Deputiertenkammer von einem der größten Staatsmänner der Franzosen, dem Grafen Molé, besprochen worden, ist am Ende dieser neuen Ausgabe befindlich und mag zeigen, welche Bewandtnis es hat mit der Verkleinerung und Herabsetzung Deutschlands, deren ich mich, wie gewisse ehrliche Leute versicherten, dem Auslande gegenüber schuldig gemacht haben soll. Äußerte ich mich in meinem Unmut über das alte, offizielle Deutschland, das verschimmelte Philisterland, — das aber keinen Goliath, keinen einzigen großen Mann hervorgebracht hat, — so wußte man das was ich sagte, so darzustellen, als sei hier die Rede von dem wirklichen Deutschland, dem großen, geheimnisvollen, sozusagen anonymen Deutschland des deutschen Volkes, des schlafenden Souveränen, mit dessen Szepter und Krone die Meerkatzen spielen. Solche Insinuation ward den ehrlichen Leuten noch dadurch erleichtert, daß jede Kundgabe meiner wahren Gesinnung mir während einer langen Periode schier unmöglich war, besonders zur Zeit als die Bundestagsdekrete gegen das „junge Deutschland" erschienen, welche hauptsächlich gegen mich gerichtet waren und mich in eine exzeptionell gebundene Lage brachten, die unerhört in den Annalen der Preßknechtschaft. Als ich späterhin den Maulkorb etwas lüften konnte, blieben doch die Gedanken noch geknebelt.

Das vorliegende Buch ist Fragment, und soll auch Fragment bleiben. Ehrlich gestanden, es wäre mir lieb, wenn ich das Buch ganz ungedruckt lassen könnte. Es haben sich nämlich seit dem Erscheinen desselben meine Ansichten über manche Dinge, besonders über göttliche Dinge, bedenklich geändert, und manches, was ich behauptete, widerspricht jetzt meiner bessern Überzeugung. Aber der Pfeil gehört nicht mehr dem Schützen, sobald er von der Sehne

des Bogens fortfliegt, und das Wort gehört nicht mehr dem
Sprecher, sobald es seiner Lippe entsprungen und gar durch
die Presse vervielfältigt worden. Außerdem würden fremde
Befugnisse mir mit zwingendem Einspruch entgegentreten,
wenn ich dieses Buch ungedruckt ließe und meinen Ge-
samtwerken entzöge. Ich könnte zwar, wie manche Schriftsteller in solchen Fällen tun, zu einer Milderung der Ausdrücke, zu Verhüllungen durch Phrase meine Zuflucht
nehmen; aber ich hasse im Grund meiner Seele die zwei-
deutigen Worte, die heuchlerischen Blumen, die feigen Fei-
genblätter. Einem ehrlichen Manne bleibt aber unter allen
Umständen das unveräußerliche Recht, seinen Irrtum offen
zu gestehen, und ich will es ohne Scheu hier ausüben. Ich
bekenne daher unumwunden, daß alles, was in diesem
Buche namentlich auf die große Gottesfrage Bezug hat,
eben so falsch wie unbesonnen ist. Eben so unbesonnen
wie falsch ist die Behauptung, die ich der Schule nach-
sprach, daß der Deismus in der Theorie zu Grunde gerichtet sei und sich nur noch in der Erscheinungswelt kümmer-
lich hinfriste. Nein, es ist nicht wahr, daß die Vernunftkritik, welche die Beweistümer für das Dasein Gottes, wie
wir dieselben seit Anselm von Canterbury kennen, zernich-
tet hat, auch dem Dasein Gottes selber ein Ende gemacht
habe. Der Deismus lebt, lebt sein lebendigstes Leben, er
ist nicht tot, und am allerwenigsten hat ihn die neueste
deutsche Philosophie getötet. Diese spinnwebige Berliner
Dialektik kann keinen Hund aus dem Ofenloch locken, sie
kann keine Katze töten, wie viel weniger einen Gott. Ich
habe es am eignen Leibe erprobt, wie wenig gefährlich ihr
Umbringen ist; sie bringt immer um, und die Leute bleiben
dabei am Leben.

Der Türhüter der Hegelschen Schule, der grimme Ruge,
behauptete einst steif und fest, oder vielmehr fest und steif,
daß er mich mit seinem Portierstock in den „Hallischen

Jahrbüchern" totgeschlagen habe, und doch zur selben Zeit ging ich umher auf den Boulevards von Paris, frisch und gesund und unsterblicher als je. Der arme, brave Ruge! er selber konnte sich später nicht des ehrlichsten Lachens enthalten, als ich ihm hier in Paris das Geständnis machte, daß ich die fürchterlichen Totschlagblätter, die „Hallischen Jahrbücher", nie zu Gesicht bekommen hatte, und sowohl meine vollen roten Backen, als auch der gute Appetit, womit ich Austern schluckte, überzeugten ihn, wie wenig mir der Name einer Leiche gebührte. In der Tat, ich war damals noch gesund und feist, ich stand im Zenith meines Fettes, und war so übermütig wie der König Nebukadnezar vor seinem Sturze.

Ach! einige Jahre später ist eine leibliche und geistige Veränderung eingetreten. Wie oft seitdem denke ich an die Geschichte dieses babylonischen Königs, der sich selbst für den lieben Gott hielt, aber von der Höhe seines Dünkels erbärmlich herabstürzte, wie ein Tier am Boden kroch und Gras aß — (es wird wohl Salat gewesen sein). In dem prachtvoll grandiosen Buch Daniel steht diese Legende, die ich nicht bloß dem guten Ruge, sondern auch meinem noch viel verstocktern Freunde Marx, ja auch den Herren Feuerbach, Daumer, Bruno Bauer, Hengstenberg und wie sie sonst heißen mögen, diese gottlosen Selbstgötter, zur erbaulichen Beherzigung empfehle. Es stehen überhaupt noch viel schöne und merkwürdige Erzählungen in der Bibel, die ihrer Beachtung wert wären, z. B. gleich im Anfang die Geschichte von dem verbotenen Baume im Paradiese und von der Schlange, der kleinen Privatdozentin, die schon sechstausend Jahre vor Hegels Geburt die ganze Hegelsche Philosophie vortrug. Dieser Blaustrumpf ohne Füße zeigt sehr scharfsinnig, wie das Absolute in der Identität von Sein und Wissen besteht, wie der Mensch zum Gotte werde durch die Erkenntnis, oder was dasselbe ist, wie Gott im

Menschen zum Bewußtsein seiner selbst gelange — Diese
Formel ist nicht so klar wie die ursprünglichen Worte:
Wenn ihr vom Baume der Erkenntnis genossen, werdet ihr
wie Gott sein! Frau Eva verstand von der ganzen Demon-
stration nur das Eine, daß die Frucht verboten sei, und weil
sie verboten, aß sie davon, die gute Frau. Aber kaum hatte
sie von dem lockenden Apfel gegessen, so verlor sie ihre
Unschuld, ihre naive Unmittelbarkeit, sie fand, daß sie viel
zu nackend sei für eine Person von ihrem Stande, die
Stammmutter so vieler künftigen Kaiser und Könige, und
sie verlangte ein Kleid. Freilich nur ein Kleid von Feigen-
blättern, weil damals noch keine Lyoner Seidenfabrikanten
geboren waren, und weil es auch im Paradiese noch keine
Putzmacherinnen und Modehändlerinnen gab — o Para-
dies! Sonderbar, so wie das Weib zum denkenden Selbstbewußtsein kommt, ist ihr erster Gedanke ein neues Kleid!
Auch diese biblische Geschichte, zumal die Rede der
Schlange, kommt mir nicht aus dem Sinn, und ich möchte
sie als Motto diesem Buche voransetzen, in derselben Weise,
wie man oft vor fürstlichen Gärten eine Tafel sieht mit
der warnenden Aufschrift: Hier liegen Fußangeln und
Selbstschüsse.

Ich habe mich bereits in meinem jüngsten Buche, im ,,Ro-
manzero", über die Umwandlung ausgesprochen, welche in
Bezug auf göttliche Dinge in meinem Geiste stattgefunden.
Es sind seitdem mit christlicher Zudringlichkeit sehr viele
Anfragen an mich ergangen, auf welchem Wege die bessere
Erleuchtung über mich gekommen. Fromme Seelen scheinen darnach zu lechzen, daß ich ihnen irgend ein Mirakel
aufbinde, und sie möchten gerne wissen, ob ich nicht wie
Saulus ein Licht erblickte auf dem Wege nach Damaskus,
oder ob ich nicht wie Barlam, der Sohn Boers, einen stä-
tigen Esel geritten, der plötzlich den Mund auftat und zu
sprechen begann wie ein Mensch? Nein, Ihr gläubigen

Gemüter, ich reise niemals nach Damaskus, ich weiß nichts von Damaskus, als daß jüngst die dortigen Juden beschuldigt worden, sie fräßen alte Kapuziner, und der Name der Stadt wäre mir vielleicht ganz unbekannt, hätte ich nicht has Hohe Lied gelesen, wo der König Salomo die Nase seiner Geliebten mit einem Turm vergleicht, der gen Damaskus schaut. Auch sah ich nie einen Esel, nämlich keinen vierfüßigen, der wie ein Mensch gesprochen hätte, während ich Menschen genug traf, die jedesmal, wenn sie den Mund auftaten, wie Esel sprachen. In der Tat, weder eine Vision, noch eine seraphitische Verzückung, noch eine Stimme vom Himmel, auch kein merkwürdiger Traum oder sonst ein Wunderspuk brachte mich auf den Weg des Heils, und ich verdanke meine Erleuchtung ganz einfach der Lektüre eines Buches — Eines Buches? Ja, und es ist ein altes, schlichtes Buch, bescheiden wie die Natur, auch natürlich wie diese; ein Buch, das werkeltägig und anspruchslos aussieht, wie die Sonne, die uns wärmt, wie das Brot, das uns nährt; ein Buch, das so traulich, so segnend gütig uns anblickt, wie eine alte Großmutter, die auch täglich in dem Buche liest, mit den lieben, bebenden Lippen, und mit der Brille auf der Nase — und dieses Buch heißt auch ganz kurzweg das Buch, die Bibel. Mit Fug nennt man diese auch die heilige Schrift; wer seinen Gott verloren hat, der kann ihn in diesem Buche wiederfinden, und wer ihn nie gekannt, dem weht hier entgegen der Odem des göttlichen Wortes. Die Juden, welche sich auf Kostbarkeiten verstehen, wußten sehr gut, was sie taten, als sie bei dem Brande des zweiten Tempels die goldenen und silbernen Opfergeschirre, die Leuchter und Lampen, sogar den hohenpriesterlichen Brustlatz mit den großen Edelsteinen im Stich ließen, und nur die Bibel retteten. Diese war der wahre Tempelschatz, und derselbe ward gottlob nicht ein Raub der Flammen oder des Titus Vespasianus, des Bösewichts, der ein so schlechtes Ende genommen, wie die Rabbiner erzählen. Ein jüdischer Priester, der zweihundert Jahr vor dem Brand des zweiten Tempels, während der Glanzperiode des Ptolemäers Philadelphus, zu Jerusalem lebte und Josua ben Siras ben-Eliezer hieß, hat in einer Gnomensammlung, „Meschalim", in Bezug auf die Bibel den Gedanken seiner Zeit ausgesprochen, und ich will seine schönen Worte hier mitteilen. Sie sind sazerdotal feierlich und doch zugleich so erquickend frisch, als wären sie erst gestern einer lebenden Menschenbrust entquollen, und sie lauten wie folgt:

„Dies alles ist eben das Buch des Bundes, mit dem höchsten Gott gemacht, nämlich das Gesetz, welches Mose dem Hause Jakob zum Schatz befohlen hat. Daraus die Weisheit geflossen ist, wie das Wasser Pison, wenn es groß ist: Und wie das Wasser Tigris, wenn es übergehet in Lenzen. Daraus der Verstand geflossen ist, wie der Euphrates, wenn er groß ist, und wie der Jordan in der Ernte. Aus demselben ist hervorbrochen die Zucht, wie das Licht, und wie das Wasser Nilus im Herbst. Er ist nie gewesen, der es ausgelernt hätte: Und wird nimmermehr werden, der es ausgründen möchte. Denn sein Sinn ist reicher, weder kein Meer: Und sein Wort tiefer, denn kein Abgrund."

Geschrieben zu Paris, im Wonnemond 1852.

Heinrich Heine.

ERSTES BUCH

DIE FRANZOSEN GLAUBTEN, in der letzten Zeit, zu einer Verständnis Deutschlands zu gelangen, wenn sie sich mit den Erzeugnissen unserer schönen Literatur bekannt machten. Hierdurch haben sie sich aber aus dem Zustande gänzlicher Ignoranz nur erst zur Oberflächlichkeit erhoben. Denn die Erzeugnisse unserer schönen Literatur bleiben für sie nur stumme Blumen, der ganze deutsche Gedanke bleibt für sie ein unwirtliches Rätsel, solange sie die Bedeutung der Religion und der Philosophie in Deutschland nicht kennen.

Indem ich nun über diese beiden einige erläuternde Auskunft zu erteilen suche, glaube ich ein nützliches Werk zu unternehmen. Dieses ist für mich keine leichte Aufgabe. Es gilt zunächst die Ausdrücke einer Schulsprache zu vermeiden, die den Franzosen gänzlich unbekannt ist. Und doch habe ich weder die Subtilitäten der Theologie, noch die der Metaphysik so tief ergründet, daß ich im Stande wäre, dergleichen nach den Bedürfnissen des französischen Publikums, ganz einfach und ganz kurz zu formulieren. Ich werde daher nur von den großen Fragen handeln, die in der deutschen Gottesgelahrtheit und Weltweisheit zur Sprache gekommen, ich werde nur ihre soziale Wichtigkeit beleuchten, und immer werde ich die Beschränktheit meiner eigenen Verdeutlichungsmittel und das Fassungsvermögen des französischen Lesers berücksichtigen.

Große deutsche Philosophen, die etwa zufällig einen Blick in diese Blätter werfen, werden vornehm die Achseln zucken über den dürftigen Zuschnitt alles dessen, was ich hier vorbringe. Aber sie mögen gefälligst bedenken, daß das wenige, was ich sage, ganz klar und deutlich ausgedrückt ist, während ihre eignen Werke, zwar sehr gründlich, unermeßbar gründlich, sehr tiefsinnig, stupend tiefsinnig, aber eben so unverständlich sind. Was helfen dem Volke die verschlossenen Kornkammern, wozu es keinen Schlüssel hat? Das Volk hungert nach Wissen und dankt mir für das Stückchen Geistesbrot, das ich ehrlich mit ihm teile.

Ich glaube, es ist nicht Talentlosigkeit, was die meisten deutschen Gelehrten davon abhält, über Religion und Philosophie sich populär auszusprechen. Ich glaube, es ist Scheu vor den Resultaten ihres eigenen Denkens, die sie nicht wagen, dem Volke mitzuteilen. Ich, ich habe nicht diese Scheu, denn ich bin kein Gelehrter, ich selber bin Volk. Ich bin kein Gelehrter, ich gehöre nicht zu den siebenhundert Weisen Deutschlands. Ich stehe mit dem großen Haufen vor den Pforten ihrer Weisheit, und ist da irgend eine Wahrheit durchgeschlüpft, und ist diese Wahrheit bis zu mir gelangt, dann ist sie weit genug: — Ich schreibe sie mit hübschen Buchstaben auf Papier und gebe sie dem Setzer; der setzt sie in Blei und gibt sie dem Drucker; dieser druckt sie und sie gehört dann der ganzen Welt.

Die Religion, deren wir uns in Deutschland erfreuen, ist das Christentun. Ich werde also zu erzählen haben: Was das Christentum ist, wie es römischer Katholizismus geworden, wie aus diesem der Protestantismus und aus dem Protestantismus die deutsche Philosophie hervorging.

Indem ich nun mit Besprechung der Religion beginne, bitte ich im voraus alle frommen Seelen, sich bei Leibe nicht zu ängstigen. Fürchtet nichts, fromme Seelen! Keine profanierende Scherze sollen Euer Ohr verletzen. Diese sind allenfalls noch nützlich in Deutschland, wo es gilt, die

Macht der Religion, für den Augenblick, zu neutralisieren. Wir sind nämlich dort in derselben Lage wie Ihr vor der Revolution, als das Christentum im untrennbarsten Bündnisse stand mit dem alten Regime. Dieses konnte nicht zerstört werden, solange noch jenes seinen Einfluß übte auf die Menge. Voltaire mußte sein scharfes Gelächter erheben, ehe Samson sein Beil fallen lassen konnte. Jedoch wie durch dieses Beil, so wurde auch durch jenes Lachen im Grunde nichts bewiesen, sondern nur bewirkt. Voltaire hat nur den Leib des Christentums verletzen können. Alle seine Späße, die aus der Kirchengeschichte geschöpft, alle seine Witze über Dogmatik und Kultus, über die Bibel, dieses heiligste Buch der Menschheit, über die Jungfrau Maria, diese schönste Blume der Poesie, das ganze Dictionnaire philosophischer Pfeile, das er gegen Klerus und Priesterschaft losschoß, verletzte nur den sterblichen Leib des Christentums, nicht dessen inneres Wesen, nicht dessen tieferen Geist, nicht dessen ewige Seele.

Denn das Christentum ist eine Idee, und als solche unzerstörbar und unsterblich, wie jede Idee. Was ist aber diese Idee?

Eben weil man diese Idee noch nicht klar begriffen und Äußerlichkeiten für die Hauptsache gehalten hat, gibt es noch keine Geschichte des Christentums. Zwei entgegengesetzte Parteien schreiben die Kirchengeschichte und widersprechen sich beständig, doch die eine, eben so wenig wie die andere, wird jemals bestimmt aussagen: Was eigentlich jene Idee ist, die dem Christentum als Mittelpunkt dient, die sich in dessen Symbolik, im Dogma wie im Kultus, und in dessen ganzer Geschichte zu offenbaren strebt, und im wirklichen Leben der christlichen Völker manifestiert hat! Weder Baronius, der katholische Kardinal, noch der protestantische Hofrat Schröckh entdeckt uns, was eigentlich jene Idee war. Und wenn Ihr alle

Folianten der Mansischen Konziliensammlung, des Assemanischen Kodex der Liturgien und die ganze Historia
ecclesiastica von Saccharelli durchblättert, werdet Ihr doch
nicht einsehen, was eigentlich die Idee des Christentums
war. Was seht Ihr denn in den Historien der orientalischen
und der occidentalischen Kirchen? In jener, der orientalischen Kirchengeschichte, seht Ihr nichts als dogmatische
Spitzfündigkeiten, wo sich die altgriechische Sophistik wieder kund gibt; in dieser, in der occidentalischen Kirchengeschichte, seht Ihr nichts als disziplinarische, die kirch-
lichen Interessen betreffende Zwiste, wobei die altrömische
Rechtskasuistik und Regierungskunst, mit neuen Formen
und Zwangsmitteln, sich wieder geltend machen. In der
Tat, wie man in Konstantinopel über den Logos stritt, so
stritt man in Rom über das Verhältnis der weltlichen zur
geistlichen Macht; und wie etwa dort über Homousios, so
befehdete man sich hier über Investitur. Aber die byzan-
tinischen Fragen: Ob der Logos dem Gott-Vater Homousios sei? ob Maria Gottgebärerin heißen soll oder Men-
schengebärerin? ob Christus in Ermangelung der Speise
hungern mußte, oder nur deswegen hungerte, weil er hungern wollte? alle diese Fragen haben im Hintergrund lauter
Hofintrigen, deren Lösung davon abhängt, was in den Gemächern des Sacri Palatii gezischelt und gekichert wird, ob
z. B. Eudoxia fällt oder Pulcheria; — denn diese Dame
haßt den Nestorius, den Verräter ihrer Liebeshändel, jene
haßt den Cyrillus, welchen Pulcheria beschützt, alles be-
zieht sich zuletzt auf lauter Weiber- und Hämmlingsge-
klätsche, und im Dogma wird eigentlich der Mann und im
Manne eine Partei verfolgt oder befördert. Eben so gehts
im Occident; Rom wollte herrschen; „als seine Legionen
gefallen, schickte es Dogmen in die Provinzen"; alle Glau-
benszwiste hatten römische Usurpationen zum Grunde; es
galt, die Obergewalt des römischen Bischofs zu konsoli-

dieren. Dieser war über eigentliche Glaubenspunkte immer sehr nachsichtig, spie aber Feuer und Flamme, sobald die Rechte der Kirche angegriffen wurden; er disputierte nicht viel über die Personen in Christus, sondern über die Konsequenzen der Isidorschen Dekretalen; er zentralisierte seine Gewalt durch kanonisches Recht, Einsetzung der Bischöfe, Herabwürdigung der fürstlichen Macht, Mönchsorden, Zölibat usw. Aber war dieses das Christentum? Offenbart sich uns aus der Lektüre dieser Geschichten die Idee des Christentums? Was ist diese Idee?

Wie sich diese Idee historisch gebildet und in der Erscheinungswelt manifestiert, ließe sich wohl schon in den ersten Jahrhunderten nach Christi Geburt entdecken, wenn wir namentlich in der Geschichte der Manichäer und der Gnostiker vorurteilsfrei nachforschen. Obgleich erstere verketzert und letztere verschrien sind und die Kirche sie verdammt hat, so erhielt sich doch ihr Einfluß auf das Dogma, aus ihrer Symbolik entwickelte sich die katholische Kunst, und ihre Denkweise durchdrang das ganze Leben der christlichen Völker. Die Manichäer sind ihren letzten Gründen nach nicht sehr verschieden von den Gnostikern. Die Lehre von den beiden Prinzipien, dem guten und dem bösen, die sich bekämpfen, ist beiden eigen. Die Einen, die Manichäer, erhielten diese Lehre aus der altpersischen Religion, wo Ormuz, das Licht, dem Ariman, der Finsternis, feindlich entgegengesetzt ist. Die Anderen, die eigentlichen Gnostiker, glaubten vielmehr an die Präexistenz des guten Prinzips, und erklärten die Entstehung des bösen Prinzips durch Emanation, durch Generationen von Äonen, die, je mehr sie von ihrem Ursprung entfernt sind, sich desto trüber verschlechtert. Nach Cerinthus war der Erschaffer unserer Welt keineswegs der höchste Gott, sondern nur eine Emanation desselben, einer von den Äonen, der eigentliche Demiurgos, der allmählich ausgeartet ist, und jetzt, als

böses Prinzip, dem aus dem höchsten Gott unmittelbar ent-
sprungenen Logos, dem guten Prinzip, feindselig gegenüber stehe. Diese gnostische Weltansicht ist urindisch und
sie führte mit sich die Lehre von der Inkarnation Gottes,
von der Abtötung des Fleisches, vom geistigen Insichselbst-
versenken, sie gebar das ascetisch beschauliche Mönchs-
leben, welches die reinste Blüte der christlichen Idee.
Diese Idee hat sich in der Dogmatik nur sehr verworren
und im Kultus nur sehr trübe aussprechen können. Doch
sehen wir überall die Lehre von den beiden Prinzipien her-
vortreten; dem guten Christus steht der böse Satan entgegen; die Welt des Geistes wird durch Christus, die Welt
der Materie durch Satan repräsentiert; jenem gehört unsere
Seele, diesem unser Leib; und die ganze Erscheinungswelt, die Natur, ist demnach ursprünglich böse, und Satan,
der Fürst der Finsternis, will uns damit ins Verderben
locken, und es gilt allen sinnlichen Freuden des Lebens zu
entsagen, unsern Leib, das Lehn Satans, zu peinigen,
damit die Seele sich desto herrlicher emporschwinge in den
lichten Himmel, in das strahlende Reich Christi.

Diese Weltansicht, die eigentliche Idee des Christentums, hatte sich, unglaublich schnell, über das ganze römische Reich verbreitet, wie eine ansteckende Krankheit,
das ganze Mittelalter hindurch dauerten die Leiden, manchmal Fieberwut, manchmal Abspannung, und wir Modernen
fühlen noch immer Krämpfe und Schwäche in den Gliedern. Ist auch mancher von uns schon genesen, so kann er
doch der allgemeinen Lazarettluft nicht entrinnen, und er
fühlt sich unglücklich als der einzig Gesunde unter lauter
Siechen. Einst wenn die Menschheit ihre völlige Gesundheit wieder erlangt, wenn der Friede zwischen Leib und
Seele wieder hergestellt, und sie wieder in ursprünglicher
Harmonie sich durchdringen: Dann wird man den künst-
lichen Hader, den das Christentum zwischen beiden ge-

stiftet, kaum begreifen können. Die glücklichern und schöneren Generationen, die, gezeugt durch freie Wahlumarmung, in einer Religion der Freude emporblühen, werden wehmütig lächeln über ihre armen Vorfahren, die sich aller Genüsse dieser schönen Erde trübsinnig enthielten, und, durch Abtötung der warmen farbigen Sinnlichkeit, fast zu kalten Gespenstern verblichen sind! Ja, ich sage es bestimmt, unsere Nachkommen werden schöner und glücklicher sein als wir. Denn ich glaube an den Fortschritt, ich glaube, die Menschheit ist zur Glückseligkeit bestimmt, und ich hege also eine größere Meinung von der Gottheit als jene frommen Leute, die da wähnen, er habe den Menschen nur zum Leiden erschaffen. Schon hier auf Erden möchte ich, durch die Segnungen freier politischer und industrieller Institutionen, jene Seligkeit etablieren, die, nach der Meinung der Frommen, erst am jüngsten Tage, im Himmel, stattfinden soll. Jenes ist vielleicht eben so wie dieses eine törigte Hoffnung, und es gibt keine Auferstehung der Menschheit, weder im politisch moralischen, noch im apostolisch katholischen Sinne.

Die Menschheit ist vielleicht zu ewigem Elend bestimmt, die Völker sind vielleicht auf ewig verdammt von Despoten zertreten, von den Spießgesellen derselben exploitiert, und von den Lakaien verhöhnt zu werden.

Ach in diesem Falle müßte man das Christentum, selbst wenn man es als Irrtum erkannt, dennoch zu erhalten suchen, man müßte in der Mönchskutte und barfuß durch Europa laufen, und die Nichtigkeit aller irdischen Güter und Entsagung predigen, und den gegeißelten und verspotteten Menschen das tröstende Kruzifix vorhalten und ihnen nach dem Tode, dort oben, alle sieben Himmel versprechen.

Vielleicht eben, weil die Großen dieser Erde ihrer Obermacht gewiß sind, und im Herzen beschlossen haben sie

D

ewig zu unserem Unglück zu mißbrauchen, sind sie von der Notwendigkeit des Christentums für ihre Völker überzeugt, und es ist im Grunde ein zartes Menschlichkeitsgefühl, daß sie sich für die Erhaltung dieser Religion so viele Mühe geben!

Das endliche Schicksal des Christentums ist also davon abhängig, ob wir dessen noch bedürfen. Diese Religion war eine Wohltat für die leidende Menschheit während achtzehn Jahrhunderten, sie war providentiell, göttlich, heilig. Alles was sie der Zivilisation genützt, indem sie die Starken zähmte und die Zahmen stärkte, die Völker verband durch gleiches Gefühl und gleiche Sprache, und was sonst noch von ihren Apologeten hervorgerühmt wird, das ist sogar noch unbedeutend in Vergleichung mit jener großen Tröstung, die sie durch sich selbst den Menschen angedeihen lassen. Ewiger Ruhm gebührt dem Symbol jenes leidenden Gottes, des Heilands mit der Dornenkrone, des gekreuzigten Christus, dessen Blut gleichsam der lindernde Balsam war, der in die Wunden der Menschheit herabrann. Besonders der Dichter wird die schauerliche Erhabenheit dieses Symbols mit Ehrfurcht anerkennen. Das ganze System von Symbolen, die sich ausgesprochen in der Kunst und im Leben des Mittelalters, wird zu allen Zeiten die Bewunderung der Dichter erregen. In der Tat, welche kolossale Konsequenz in der christlichen Kunst, namentlich in der Architektur! Diese gotischen Dome, wie stehen sie im Einklang mit dem Kultus, und wie offenbart sich in ihnen die Idee der Kirche selber! Alles strebt da empor, alles transsubstanziiert sich: Der Stein sproßt aus in Ästen und Laubwerk und wird Baum; die Frucht des Weinstocks und der Ähre wird Blut und Fleisch; der Mensch wird Gott; Gott wird reiner Geist! Ein ergiebiger, unversiegbar kostbarer Stoff für die Dichter ist das christliche Leben im Mittelalter. Nur durch das Christentum

konnten auf dieser Erde sich Zustände bilden, die so kecke
Kontraste, so bunte Schmerzen, und so abenteuerliche
Schönheiten enthalten, daß man meinen sollte, dergleichen
habe niemals in der Wirklichkeit existiert, und das alles sei
ein kolossaler Fiebertraum, es sei der Fiebertraum eines
wahnsinnigen Gottes. Die Natur selber schien sich damals
phantastisch zu vermummen; indessen obgleich der Mensch,
befangen in abstrakten Grübeleien, sich verdrießlich von
ihr abwendete, so weckte sie ihn doch manchmal mit einer
Stimme, die so schauerlich süß, so entsetzlich liebevoll,
so zaubergewaltig war, daß der Mensch unwillkürlich
aufhorchte, und lächelte, und erschrak, und gar zu Tode
erkrankte. Die Geschichte von der Baseler Nachtigall
kommt mir hier ins Gedächtnis, und da Ihr sie wahrscheinlich nicht kennt, so will ich sie erzählen.

Im Mai 1433, zur Zeit des Konzils, ging eine Gesellschaft Geistlicher in einem Gehölze bei Basel spazieren,
Prälaten und Doktoren, Mönche von allen Farben, und sie
disputierten über theologische Streitigkeiten, und distin-
guierten und argumentierten, oder stritten über Annaten,
Exspektativen und Reservationen, oder untersuchten, ob
Thomas von Aquino ein größerer Philosoph sei als Bonaventura, was weiß ich! Aber plötzlich, mitten in ihren dogmatischen und abstrakten Diskussionen, hielten sie inne,
und blieben wie angewurzelt stehen vor einem blühenden
Lindenbaum, worauf eine Nachtigall saß, die in den weich-
sten und zärtlichsten Melodien jauchzte und schluchzte.
Es ward den gelehrten Herren dabei so wunderselig zu
Mute, die warmen Frühlingstöne drangen ihnen in die
scholastisch verklausulierten Herzen, ihre Gefühle erwach-
ten aus dem dumpfen Winterschlaf, sie sahen sich an mit
staunendem Entzücken; — als endlich einer von ihnen die
scharfsinnige Bemerkung machte, daß solches nicht mit
rechten Dingen zugehe, daß diese Nachtigall wohl ein Teu-

fel sein könne, daß dieser Teufel sie mit seinen holdseligen
Lauten von ihren christlichen Gesprächen abziehen, und
zu Wollust und sonstig süßen Sünden verlocken wolle, und
er hub an zu exorzieren, wahrscheinlich mit der damals
üblichen Formel: Adjuro te per eum, qui venturus est,
judicare vivos et mortuos etc. etc. Bei dieser Beschwörung,
sagt man, habe der Vogel geantwortet: „Ja, ich bin ein
böser Geist!" und sei lachend davongeflogen, diejenigen
aber, die seinen Gesang gehört, sollen noch selbigen Tages
erkrankt und bald darauf gestorben sein.

Diese Geschichte bedarf wohl keines Kommentars. Sie
trägt ganz das grauenhafte Gepräge einer Zeit, die alles,
was süß und lieblich war, als Teufelei verschrie. Die Nachtigall sogar wurde verleumdet und man schlug ein Kreuz,
wenn sie sang. Der wahre Christ spazierte, mit ängstlich
verschlossenen Sinnen, wie ein abstraktes Gespenst in der
blühenden Natur umher. Dieses Verhältnis des Christen
zur Natur werde ich vielleicht in einem späteren Buche
weitläuftiger erörtern, wenn ich, zum Verständnis der neu-
romantischen Literatur, den deutschen Volksglauben gründlich besprechen muß. Vorläufig kann ich nur bemerken,
daß französische Schriftsteller, mißleitet durch deutsche
Autoritäten, in großem Irrtume sind, wenn sie annehmen,
der Volksglauben sei während des Mittelalters überall in
Europa derselbe gewesen. Nur über das gute Prinzip, über
das Reich Christi, hegte man in ganz Europa dieselben
Ansichten; dafür sorgte die römische Kirche, und wer hier
von der vorgeschriebenen Meinung abwich, war ein Ketzer. Aber über das böse Prinzip, über das Reich des Satans,
herrschten verschiedene Ansichten in den verschiedenen
Ländern, und im germanischen Norden hatte man ganz
andere Vorstellungen davon, wie im romanischen Süden.
Dieses entstand dadurch, daß die christliche Priesterschaft
die vorgefundenen alten Nationalgötter nicht als leere

Hirngespinste verwarf, sondern ihnen eine wirkliche Existenz einräumte, aber dabei behauptete, alle diese Götter seien lauter Teufel und Teufelinnen gewesen, die durch den Sieg Christi ihre Macht über die Menschen verloren und sie jetzt durch Lust und List zur Sünde verlocken wollen. Der ganze Olymp wurde nun eine luftige Hölle, und wenn ein Dichter des Mittelalters die griechischen Göttergeschichten noch so schön besang, so sah der fromme Christ darin doch nur Spuk und Teufel. Der düstere Wahn der Mönche traf am härtesten die arme Venus; absonderlich diese galt für eine Tochter Beelzebubs, und der gute Ritter Tanhüser sagt ihr sogar ins Gesicht:

> Oh, Venus, schöne Fraue mein,
> ihr seid eine Teufelinne!

Den Tanhüser hatte sie nämlich verlockt in jene wunderbare Höhle, welche man den Venusberg hieß und wovon die Sage ging, daß die schöne Göttin dort mit ihren Fräulein und Gesponsen, unter Spiel und Tänzen, das lüderlichste Leben führe. Die arme Diana sogar, trotz ihrer Keuschheit, war vor einem ähnlichen Schicksal nicht sicher, und man ließ sie nächtlich mit ihren Nymphen durch die Wälder ziehen, und daher die Sage von dem wütenden Heer, von der wilden Jagd. Hier zeigt sich noch ganz die gnostische Ansicht von der Verschlechterung des ehemals Göttlichen, und in dieser Umgestaltung des früheren Nationalglaubens manifestiert sich am tiefsinnigsten die Idee des Christentums.

Der Nationalglaube in Europa, im Norden noch viel mehr als im Süden, war pantheistisch, seine Mysterien und Symbole bezogen sich auf einen Naturdienst, in jedem Elemente verehrte man wunderbare Wesen, in jedem Baume atmete eine Gottheit, die ganze Erscheinungswelt war durchgöttert; das Christentum verkehrte diese Ansicht, und an die Stelle einer durchgötterten Natur trat eine durchteufelte. Die heiteren, durch die Kunst verschönerten Gebilde der griechischen Mythologie, die mit der römischen Zivilisation im Süden herrschte, hat man jedoch nicht so leicht in häßliche, schauerliche Satanslarven verwandeln können wie die germanischen Göttergestalten, woran freilich kein besonderer Kunstsinn gemodelt hatte, und die schon vorher so mißmütig und trübe waren, wie der Norden selbst. Daher hat sich bei Euch, in Frankreich, kein so finster-schreckliches Teufelstum bilden können wie bei uns, und das Geister- und Zauberwesen selber erhielt bei Euch eine heitere Gestalt. Wie schön, klar und farbenreich sind Eure Volkssagen in Vergleichung mit den unsrigen, diesen Mißgeburten, die aus Blut und Nebel bestehen und uns so grau und grausam angrinsen. Unsere mittelalterlichen Dichter, indem sie meistens Stoffe wählten, die Ihr, in der Bretagne und in der Normandie, entweder ersonnen oder zuerst behandelt habt, verliehen ihren Werken, vielleicht absichtlich, so viel als möglich von jenem heiter altfranzösischen Geiste. Aber in unseren Nationaldichtungen und in unseren mündlichen Volkssagen blieb jener düster nordische Geist, von dem ihr kaum eine Ahnung habt. Ihr habt, ebenso wie wir, mehre Sorten von Elementargeistern, aber die unsrigen sind von den Eurigen so verschieden wie ein Deutscher von einem Franzosen. Die Dämonen in Euren Fabliaux und Zauberromanen, wie hellfarbig und besonders wie reinlich sind sie in Vergleichung mit unserer grauen und sehr oft unflätigen Geisterkanaille. Eure Feen und Elementargeister, woher Ihr sie auch bezogen, aus Cornwallis oder aus Arabien, sie sind doch ganz naturalisiert und ein französischer Geist unterscheidet sich von einem deutschen wie etwa ein Dandy, der mit gelben Glaceehandschuhen auf dem Boulevard Coblence flaniert, sich von einem schweren deutschen Sackträger unterschei-

det. Eure Nixen, z. B. die Melusine, sind von den unsrigen
ebenso verschieden wie eine Prinzessin von einer Wäsche-
rin. Die Fee Morgana, wie würde sie erschrecken, wenn
sie etwa einer deutschen Hexe begegnete, die nackt, mit
Salben beschmiert, und auf einem Besenstiel nach dem
Brocken reitet. Dieser Berg ist kein heiteres Avalon, sondern ein Rendezvous für alles, was wüst und häßlich ist.
Auf dem Gipfel des Bergs sitzt Satan in der Gestalt eines
schwarzen Bocks. Jede von den Hexen naht sich ihm mit
einer Kerze in der Hand und küßt ihn hinten, wo der
Rücken aufhört. Nachher tanzt die verruchte Schwester-
schaft um ihn herum und singt: Donderemus, Donderemus,
mus: Es meckert der Bock, es jauchzt der infernale Chahüt.
Es ist ein böses Omen für die Hexe, wenn sie bei diesem Tanze
einen Schuh verliert; das bedeutet, daß sie noch im selbigen
Jahr verbrannt wird. Doch alle ahnende Angst übertäubt
die tolle echtberliozische Sabbatmusik; — und wenn die
arme Hexe des Morgens aus ihrer Berauschung erwacht,
liegt sie nackt und müde in der Asche, neben dem verglim-
menden Herde.

Die beste Auskunft über diese Hexen findet man in der
„Dämonologie" des ehrenfesten und hochgelahrten Doktor
Nicolai Remigii, des durchlauchtigsten Herzogs von Lothringen Kriminalrichter. Dieser scharfsinnige Mann hatte
fürwahr die beste Gelegenheit, das Treiben der Hexen kennen zu lernen, da er in ihren Prozessen instruierte, und zu
seiner Zeit allein in Lothringen achthundert Weiber den
Scheiterhaufen bestiegen, nachdem sie der Hexerei über-
wiesen worden. Diese Beweisführung bestand meistens
darin: Man band ihnen Hände und Füße zusammen und
warf sie ins Wasser. Gingen sie unter und ersoffen, so
waren sie unschuldig, blieben sie aber schwimmend über
dem Wasser, so erkannte man sie für schuldig, und sie wurden verbrannt. Das war die Logik jener Zeit.

Als Grundzug im Charakter der deutschen Dämonen sehen wir, daß alles Idealische von ihnen abgestreift, daß in ihnen das Gemeine und Gräßliche gemischt ist. Je plump vertraulicher sie an uns herantreten, desto grauenhafter ihre Wirkung. Nichts ist unheimlicher als unsere Poltergeister, Kobolde und Wichtelmännchen. Prätorius in seinem „Anthropodemus" enthält in dieser Beziehung eine Stelle, die ich nach Dobeneck hier mitteile:

„Die Alten haben nicht anders von den Poltergeistern halten können, als daß es rechte Menschen sein müssen, in der Gestalt wie kleine Kinder, mit einem bunten Röcklein oder Kleidchen. Etliche setzen dazu, daß sie teils Messer in den Rücken haben sollen, teils noch anders und gar greulich gestaltet wären, nachdem sie so und so, mit diesem oder jenem Instrument vorzeiten umgebracht seien. Denn die Abergläubischen halten dafür, daß es derer vorweilen im Hause ermordeten Leute Seelen sein sollen. Und schwatzen sie von vielen Historien, daß, wenn die Kobolde denen Mägden und Köchinnen eine Weile im Hause gute Dienste getan, und sich ihnen beliebt gemacht haben; daß manches Mensch daher gegen die Kobolde eine solche Affektion bekommen, daß sie solche Knechtchen auch zu sehen inbrünstig gewünscht und von ihnen begehrt haben: Worin aber die Poltergeister niemals gerne willigen wollen, mit der Ausrede, daß man sie nicht sehen könne, ohne sich darüber zu entsetzen. Doch wenn dennoch die lüsternen Mägde nicht haben nachlassen können, so sollen die Kobolde jenen einen Ort im Hause benannt haben, wo sie sich leibhaft präsentieren wollen; aber man müsse zugleich einen Eimer kaltes Wasser mitbringen. Da habe es sich denn begeben, daß ein solcher Kobold, etwa auf dem Boden, in einem Kissen, nackt gelegen, und ein großes Schlachtmesser im Rücken steckend gehabt habe. Hierüber manche Magd so sehr erschrocken war, daß sie eine Ohnmacht bekommen hat. Darauf das Ding alsbald aufgesprungen ist, das Wasser genommen, und das Mensch damit über und über begossen hat, damit sie wieder zu sich selbst kommen könne. Worauf die Mägde hernach ihre Lust verloren, und lieb Chimgen niemals weiter zu schauen begehrt haben. Die Kobolde nämlich sollen auch alle besondere Namen führen, insgemein aber Chim heißen. So sollen sie auch für die Knechte und Mägde, welchen sie sich etwa ergeben, alle Hausarbeit tun: Die Pferde striegeln, füttern, den Stall ausmisten, alles aufscheuern, die Küche sauber halten und was sonsten im Hause zu tun ist, sehr wohl in Acht nehmen, und das Vieh soll auch von ihnen zunehmen und gedeihen. Dafür müssen die Kobolde auch von dem Gesinde karessiert werden; daß sie ihnen nur im geringsten nichts zu Leide tun, weder mit Auslachen oder Versäumung im Speisen. Hat nämlich eine Köchin das Ding zu ihrem heimlichen Gehülfen einmal im Hause angenommen, so muß sie täglich, um eine gewisse Zeit, und an einem bestimmten Ort im Hause sein bereitetes Schüsselchen voll gutes Essen hinsetzen, und ihren Weg wieder gehen; sie kann hernach immer faulenzen, auf den Abend zeitig schlafen gehen, sie wird dennoch früh Morgens ihre Arbeit beschickt finden. Vergißt sie aber ihre Pflicht einmal, etwa die Speise unterlassend, so bleibt ihr wieder ihre Arbeit allein zu verrichten, und sie hat allerhand Mißgeschick: Daß sie sich entweder im heißen Wasser verbrennt, die Töpfe und das Geschirr zerbricht, das Essen umgeschüttet oder gefallen ist usw., daß sie also notwendig von der Hausfrau oder dem Herrn zur Strafe ausgescholten werden; worüber man auch zum öftern den Kobold soll kichern oder lachen gehört haben. Und so ein Kobold soll stets in seinem Hause verblieben sein, wenngleich sich das Gesinde verändert hat. Ja, es hat eine abziehende Magd ihrer Nachfolgerin den Kobold rekommandieren und aufs beste anbefehlen müssen, daß jene seiner auch also wartete.

Hat diese nun nicht gewollt, so hat es ihr auch an kontinuier-
lichem Unglück nicht gemangelt, und sie hat zeitig genug
das Haus wieder räumen müssen.''

Vielleicht zu den grauenhaftesten Geschichten gehört folgende kleine Erzählung:

Eine Magd hatte jahrelang einen unsichtbaren Hausgeist
bei sich am Herde sitzen, wo sie ihm ein eignes Stättchen
eingeräumt, und wo sie sich die langen Winterabende hindurch mit ihm unterhielt. Nun bat einmal die Magd das
Heinzlein, denn also hieß sie den Geist, er solle sich doch
einmal sehen lassen, wie er von Natur gestaltet sei. Aber
das Heinzchen weigerte sich dessen. Endlich aber willigte
es ein, und sagte, sie möchte in den Keller hinabgehen, dort
solle sie ihn sehen. Da nimmt die Magd ein Licht, steigt
hinab in den Keller, und dort, in einem offenen Fasse,
sieht sie ein totes Kindlein in seinem Blute schwimmen.
Die Magd hatte aber vor vielen Jahren ein uneheliches
Kind geboren und es heimlich ermordet und in ein Faß
gesteckt.

Indessen, wie die Deutschen nun einmal sind, sie suchen
oft im Grauen selbst ihren besten Spaß und die Volkssagen
von den Kobolden sind manchmal voll ergötzlicher Züge.
Besonders amüsant sind die Geschichten vom Hüdeken,
einem Kobold, der, im zwölften Jahrhundert, zu Hildesheim sein Wesen getrieben und von welchem in unseren
Spinnstuben und Geisterromanen so viel die Rede ist.
Eine schon oft abgedruckte Stelle aus einer alten Chronik
gibt von ihm folgende Kunde:

,,Um das Jahr 1132 erschien ein böser Geist eine lange
Zeit hindurch vielen Menschen im Bistum Hildesheim, in
der Gestalt eines Bauern mit einem Hut auf dem Kopfe:
Weshalb die Bauern ihn in sächsischer Sprache Hüdeken
nannten. Dieser Geist fand ein Vergnügen daran, mit
Menschen umzugehen, sich ihnen bald sichtbar, bald un-

sichtbar zu offenbaren, ihnen Fragen vorzulegen und zu beantworten. Er beleidigte niemanden ohne Ursache. Wenn man ihn aber auslachte, oder sonst beschimpfte, so vergalt er das empfangene Unrecht mit vollem Maße. Da der Graf Burchard de Luka von dem Grafen Hermann von Wiesenburg erschlagen wurde, und das Land des letzteren in Gefahr kam, eine Beute der Rächer zu werden, so weckte der Hüdeken den Bischof Bernhard von Hildesheim aus dem Schlafe und redete ihn mit folgenden Worten an: Stehe auf, Kahlkopf! die Grafschaft Wiesenburg ist durch Mord verlassen und erledigt, und wird also leicht von dir besetzt werden können. Der Bischof versammelte schnell seine Krieger, fiel in das Land des schuldigen Grafen, und vereinigte es, mit Bewilligung des Kaisers, mit seinem Stift. Der Geist warnte den genannten Bischof häufig ungebeten vor nahen Gefahren, und zeigte sich besonders oft in der Hofküche, wo er mit den Köchen redete, und ihnen allerlei Dienste erwies. Da man allmählich mit dem Hüdeken vertraut geworden war, so wagte es ein Küchenjunge, ihn, so oft er erschien, zu necken, und ihn sogar mit unreinem Wasser zu begießen. Der Geist bat den Hauptkoch, oder den Küchenmeister, daß er dem unartigen Knaben seinen Mutwillen untersagen möchte. Der Meisterkoch antwortete: Du bist ein Geist, und fürchtest dich vor einem Buben! worauf Hüdeken drohend erwiderte: Weil du den Knaben nicht strafen willst, so werde ich dir in wenigen Tagen zeigen, wie sehr ich mich vor ihm fürchte. Bald nachher saß der Bube, der den Geist beleidigt hatte, ganz allein schlafend in der Küche. In diesem Zustand ergriff ihn der Geist, erdrosselte ihn, zerriß ihn in Stücken, und setzte diese in Töpfen ans Feuer. Da der Koch diesen Streich entdeckte, da fluchte er dem Geist, und nun verdarb Hüdeken am folgenden Tage alle Braten, die am Spieße gesteckt waren, durch das Gift und Blut von Kröten,

welches er darüber ausschüttete. Die Rache veranlaßte den
Koch zu neuen Beschimpfungen, nach welchen der Geist
ihn endlich über eine falsche vorgezauberte Brücke in einen
tiefen Graben stürzte. Zugleich machte er die Nacht durch,
auf den Mauern und Türmen der Stadt, fleißig die Runde
und zwang die Wächter zu einer beständigen Wachsamkeit.
Ein Mann, der eine untreue Frau hatte, sagte einst, als er
verreisen wollte, im Scherze zu dem Hüdeken: Guter
Freund, ich empfehle dir meine Frau, hüte sie sorgfältig.
Sobald der Mann entfernt war, ließ das ehebrecherische
Weib einen Liebhaber nach dem andern kommen. Allein
Hüdeken ließ keinen zu ihr, sondern warf sie alle aus dem
Bette auf den Boden hin. Als der Mann von seiner Reise
zurückkam, da ging ihm der Geist weit entgegen und sagte
zu dem Wiederkehrenden: ‚Ich freue mich sehr über deine
Ankunft, damit ich von dem schweren Dienst frei werde,
den du mir auferlegt hast. Ich habe deine Frau mit un-
säglicher Mühe vor wirklicher Untreue gehütet. Ich bitte
dich aber, daß du sie mir nie wieder anvertrauen mögest.
Lieber wollte ich alle Schweine in ganz Sachsenland hüten,
als ein Weib, das durch Ränke in die Arme ihrer Buhlen zu
kommen sucht.‘"

Der Genauigkeit wegen muß ich bemerken, daß Hüde-
kens Kopfbedeckung von dem gewöhnlichen Kostüme der
Kobolde abweicht. Diese sind meistens grau gekleidet und
tragen ein rotes Käppchen. Wenigstens sieht man sie so
im Dänischen, wo sie heut zu Tage am zahlreichsten sein
sollen. Ich war ehemals der Meinung, die Kobolde lebten
deshalb so gern in Dänemark, weil sie am liebsten rote
„Grütze" äßen. Aber ein junger dänischer Dichter, Herr
Andersen, den ich das Vergnügen hatte diesen Sommer hier
in Paris zu sehen, hat mir ganz bestimmt versichert, die
Nissen, wie man in Dänemark die Kobolde nennt, äßen
am liebsten „Brei" mit Butter. Wenn diese Kobolde sich

mal in einem Hause eingenistet, so sind sie auch nicht so bald geneigt, es zu verlassen. Indessen, sie kommen nie unangemeldet, und wenn sie irgend wohnen wollen, machen sie dem Hausherrn auf folgende Art davon Anzeige: Sie tragen des Nachts allerlei Holzspäne ins Haus und in die Milchfässer streuen sie Mist von Vieh. Wenn nun der Hausherr diese Holzspäne nicht wieder wegwirft, oder wenn er mit seiner Familie von jener beschmutzten Milch trinkt, dann bleiben die Kobolde auf immer bei ihm. Dieses ist manchem sehr mißbehaglich geworden. Ein armer Jütländer wurde am Ende so verdrießlich über die Genossenschaft eines solchen Kobolds, daß er sein Haus selbst aufgeben wollte, und seine sieben Sachen auf eine Karre lud und damit nach dem nächsten Dorfe fuhr, um sich dort niederzulassen. Unterwegs aber, als er sich mal umdrehte, erblickte er das rotbemützte Köpfchen des Kobolds, der aus einer von den leeren Bütten hervorguckte, und ihm freundlich zurief: wi flütten! (wir ziehen aus).

Ich habe mich vielleicht zu lange bei diesen kleinen Dämonen aufgehalten, und es ist Zeit, daß ich wieder zu den großen übergehe. Aber alle diese Geschichten illustrieren den Glauben und den Charakter des deutschen Volks. Jener Glaube war in den verflossenen Jahrhunderten eben so gewaltig wie der Kirchenglaube. Als der gelehrte Doktor Remigius sein großes Buch über das Hexenwesen beendigt hatte, glaubte er seines Gegenstandes so kundig zu sein, daß er sich einbildete, jetzt selber hexen zu können; und, ein gewissenhafter Mann wie er war, ermangelte er nicht, sich selber bei den Gerichten als Hexenmeister anzugeben, und infolge dieser Angabe wurde er als Hexenmeister verbrannt.

Diese Greul entstanden nicht direkt durch die christliche Kirche, sondern indirekt dadurch, daß diese die altgermanische Nationalreligion so tückisch verkehrt, daß sie die

pantheistische Weltansicht der Deutschen in eine pandämo-
nische umgebildet, daß sie die früheren Heiligtümer des
Volks in häßliche Teufelei verwandelt hatte. Der Mensch
läßt aber nicht gern ab von dem, was ihm und seinen Vorfahren teuer und lieb war, und heimlich krämpen sich seine
Empfindungen daran fest, selbst wenn man es verderbt und
entstellt hat. Daher erhält sich jener verkehrte Volksglaube
vielleicht noch länger als das Christentum in Deutschland,
welches nicht wie jener in der Nationalität wurzelt. Zur
Zeit der Reformation schwand sehr schnell der Glaube an
die katholischen Legenden, aber keineswegs der Glaube an
Zauber und Hexerei.

Luther glaubt nicht mehr an katholische Wunder, aber er
glaubt noch an Teufelswesen. Seine „Tischreden" sind
voll kurioser Geschichten von Satanskünsten, Kobolden
und Hexen. Er selber in seinen Nöten glaubte manchmal
mit dem leibhaftigen Gott-sei-bei-uns zu kämpfen. Auf der
Wartburg, wo er das Neue Testament übersetzte, ward er
so sehr vom Teufel gestört, daß er ihm das Tintenfaß an
den Kopf schmiß. Seitdem hat der Teufel eine große Scheu
vor Tinte, aber noch weit mehr vor Druckerschwärze. Von
der Schlauheit des Teufels wird in den erwähnten Tischreden manch ergötzliches Stücklein erzählt, und ich kann
nicht umhin, eins davon mitzuteilen.

„Doktor Martin Luther erzählte, daß einmal gute Gesellen bei einander in einer Zeche gesessen waren. Nun
war ein wild wüste Kind unter ihnen, der hatte gesagt:
Wenn einer wäre, der ihm eine gute Zeche Weins schenkte,
wollte er ihm dafür seine Seele verkaufen.

„Nicht lange darauf kömmt einer in die Stuben zu ihm,
setzet sich bei ihm nieder und zecht mit ihm, und spricht
unter anderen zu dem, der sich also viel vermessen gehabt:

„Höre, du sagst zuvor, wenn einer dir eine Zeche Weins
gebe, so wollest du ihm dafür deine Seele verkaufen?

„Da sprach er nochmals: Ja, ich wills tun, laß mich heute recht schlemmen, demmen, und guter Dinge sein.

„Der Mann, welcher der Teufel war, sagte ja, und bald darnach verschlich er sich wieder von ihm. Als nun derselbige Schlemmer den ganzen Tag fröhlich war, und zuletzt auch trunken wurde, da kommt der vorige Mann, der Teufel, wieder, und setzt sich zu ihm nieder, und fragt die anderen Zechbrüder, und spricht: Lieben Herren, was dünket Euch, wenn einer ein Pferd kauft, gehört ihm der Sattel und Zaum nicht auch dazu? Dieselbigen erschraken alle. Aber letzlich sprach der Mann:

„Nun sagts flugs. Da bekannten sie und sagten: Ja, der Sattel und Zaum gehört ihm auch dazu. Da nimmt der Teufel denselbigen wilden, rohen Gesellen und führet ihn durch die Decke hindurch, daß niemand gewußt, wo er war hinkommen."

Obgleich ich für unsern großen Meister Martin Luther den größten Respekt hege, so will es mich doch bedünken, als habe er den Charakter des Satans ganz verkannt. Dieser denkt durchaus nicht mit solcher Geringschätzung vom Leibe, wie hier erwähnt wird. Was man auch Böses vom Teufel erzählen mag, so hat man ihm doch nie nachsagen können, daß er ein Spiritualist sei.

Aber mehr noch als die Gesinnung des Teufels verkannte Martin Luther die Gesinnung des Papstes und der katholischen Kirche. Bei meiner strengen Unparteilichkeit muß ich beide, eben so wie den Teufel, gegen den allzueifrigen Mann in Schutz nehmen. Ja, wenn man mich aufs Gewissen früge, würde ich eingestehn, daß der Papst, Leo X., eigentlich weit vernünftiger war, als Luther, und daß dieser die letzten Gründe der katholischen Kirche gar nicht begriffen hat. Denn Luther hatte nicht begriffen, daß die Idee des Christentums, die Vernichtung der Sinnlichkeit, gar zu sehr in Widerspruch war mit der menschlichen

Natur, als daß sie jemals im Leben ganz ausführbar gewesen sei; er hatte nicht begriffen, daß der Katholizismus gleichsam ein Konkordat war zwischen Gott und dem Teufel, d. h. zwischen dem Geist und der Materie, wodurch die Alleinherrschaft des Geistes in der Theorie ausgesprochen wird, aber die Materie in den Stand gesetzt wird, alle ihre annullierten Rechte in der Praxis auszuüben. Daher ein kluges System von Zugeständnissen, welche die Kirche zum Besten der Sinnlichkeit gemacht hat, obgleich immer unter Formen, welche jeden Akt der Sinnlichkeit fletrieren und dem Geiste seine höhnischen Usurpationen verwahren. Du darfst den zärtlichen Neigungen des Herzens Gehör geben und ein schönes Mädchen umarmen, aber du mußt eingestehen, daß es eine schändliche Sünde war, und für diese Sünde mußt du Abbuße tun. Daß diese Abbuße durch Geld geschehen konnte, war eben so wohltätig für die Menschheit, wie nützlich für die Kirche. Die Kirche ließ so zu sagen Wergeld bezahlen für jeden fleischlichen Genuß, und da entstand eine Taxe für alle Sorten von Sünden, und es gab heilige Colporteurs, welche, im Namen der römischen Kirche, die Ablaßzettel für jede taxierte Sünde im Lande feil boten, und ein solcher war jener Tetzel, wogegen Luther zuerst auftrat. Unsere Historiker meinen, dieses Protestieren gegen den Ablaßhandel sei ein geringfügiges Ereignis gewesen, und erst durch römischen Starrsinn sei Luther, der anfangs nur gegen einen Mißbrauch der Kirche geeifert, dahin getrieben worden, die ganze Kirchenautorität in ihrer höchsten Spitze anzugreifen. Aber das ist eben ein Irrtum, der Ablaßhandel war kein Mißbrauch, er war eine Konsequenz des ganzen Kirchensystems, und indem Luther ihn angriff, hatte er die Kirche selbst angegriffen, und diese mußte ihn als Ketzer verdammen. Leo X., der feine Florentiner, der Schüler des Polizian, der Freund des Raphael, der griechische Philosoph

mit der dreifachen Krone, die ihm das Konklav vielleicht
deshalb erteilte, weil er an einer Krankheit litt, die keineswegs durch christliche Abstinenz ensteht und damals noch
sehr gefährlich war. . . . Leo von Medicis, wie mußte er
lächeln über den armen, keuschen, einfältigen Mönch, der
da wähnte, das Evangelium sei die Charte des Christentums, und diese Charte müsse eine Wahreit sein! Er hat
vielleicht gar nicht gemerkt, was Luther wollte, indem er
damals viel zu sehr beschäftigt war mit dem Bau der Peters-
kirche, dessen Kosten eben mit den Ablaßgeldern bestritten
wurden, so daß die Sünde ganz eigentlich das Geld hergab
zum Bau dieser Kirche, die dadurch gleichsam ein Monu-
ment sinnlicher Lust wurde, wie jene Pyramide, die ein
ägyptisches Freudenmädchen für das Geld erbaute, das
sie durch Prostitution erworben. Von diesem Gotteshause
könnte man vielleicht eher als von dem Kölner Dome behaupten, daß es durch den Teufel erbaut worden. Diesen
Triumph des Spiritualismus, daß der Sensualismus selber
ihm seinen schönsten Tempel bauen mußte, daß man eben
für die Menge Zugeständnisse, die man dem Fleische
machte, die Mittel erwarb, den Geist zu verherrlichen,
dieses begriff man nicht im deutschen Norden. Denn hier,
weit eher als unter dem glühenden Himmel Italiens, war
es möglich, ein Christentum auszuüben, das der Sinnlichkeit die allerwenigsten Zugeständnisse macht. Wir Nord-
länder sind kälteren Blutes, und wir bedurften nicht so viel
Ablaßzettel für fleischliche Sünden, als uns der väterlich
besorgte Leo zugeschickt hatte. Das Klima erleichtert uns
die Ausübung der christlichen Tugenden, und am 31. Oktober 1517, als Luther seine Thesen gegen den Ablaß an die
Türe der Augustinerkirche anschlug, war der Stadtgraben
von Wittenberg vielleicht schon zugefroren, und man
konnte dort Schlittschuhe laufen, welches ein sehr kaltes
Vergnügen und also keine Sünde ist.

E

Ich habe mich oben vielleicht schon mehrmals der Worte
Spiritualismus und Sensualismus bedient; diese Worte beziehen sich aber hier nicht, wie bei den französischen Philosophen, auf die zwei verschiedenen Quellen unserer Erkenntnisse, ich gebrauche sie vielmehr, wie schon aus dem
Sinne meiner Rede immer von selber hervorgeht, zur Be-
zeichnung jener beiden verschiedenen Denkweisen, wovon
die eine den Geist dadurch verherrlichen will, daß sie
die Materie zu zerstören strebt, während die andere die
natürlichen Rechte der Materie gegen die Usurpationen des
Geistes zu vindizieren sucht.

Auf obige Anfänge der lutherischen Reformation, die
schon den ganzen Geist derselben offenbaren, muß ich
ebenfalls besonders aufmerksam machen, da man hier in
Frankreich über die Reformation noch die alten Mißbe-
griffe hegt, die Bossuet durch seine ,,Histoire des variations" verbreitet hat und die sich sogar bei heutigen Schrift-
stellern geltend machen. Die Franzosen begriffen nur die
negative Seite der Reformation, sie sahen darin nur einen
Kampf gegen den Katholizismus, und glaubten manchmal,
dieser Kampf sei jenseits des Rheines immer aus denselben
Gründen geführt worden, wie diesseits, in Frankreich.
Aber die Gründe waren dort ganz andere als hier, und ganz
entgegengesetzte. Der Kampf gegen den Katholizismus in
Deutschland war nichts andres als ein Krieg, den der
Spiritualismus begann, als er einsah, daß er nur den Titel
der Herrschaft führte, und nur de jure herrschte, während
der Sensualismus, durch hergebrachten Unterschleif, die
wirkliche Herrschaft ausübte und de facto herrschte; —
die Ablaßkrämer wurden fortgejagt, die hübschen Priester-
konkubinen wurden gegen kalte Eheweiber umgetauscht,
die reizenden Madonnenbilder wurden zerbrochen, es entstand hie und da der sinnenfeindlichste Puritanismus. Der
Kampf gegen den Katholizismus in Frankreich, im sieben-

zehnten und achtzehnten Jahrhundert, war hingegen ein
Krieg, den der Sensualismus begann, als er sah, daß er de
facto herrschte und dennoch jeder Akt seiner Herrschaft
von dem Spiritualismus, der de jure zu herrschen behauptete, als illegitim verhöhnt und in der empfindlichsten
Weise fletriert wurde. Statt daß man nun in Deutschland
mit keuschem Ernste kämpfte, kämpfte man in Frankreich
mit schlüpfrigem Spaße; und statt daß man dort eine theologische Disputation führte, dichtete man hier irgend eine
lustige Satire. Der Gegenstand dieser letzteren war gewöhnlich, den Widerspruch zu zeigen, worin der Mensch
mit sich selbst gerät, wenn er ganz Geist sein will; und da
erblühten die köstlichsten Historien von frommen Männern, welche ihrer tierischen Natur unwillkürlich unterlie-
gen oder gar alsdann den Schein der Heiligkeit retten wollen, und zur Heuchelei ihre Zuflucht nehmen. Schon die
Königin von Navarra schilderte in ihren Novellen solche
Mißstände, das Verhältnis der Mönche zu den Weibern ist
ihr gewöhnliches Thema, und sie will alsdann nicht bloß
unser Zwerchfell, sondern auch das Mönschtum erschüt-
tern. Die boshafteste Blüte solcher komischen Polemik ist
unstreitig der „Tartüff" von Molière; denn dieser ist nicht
bloß gegen den Jesuitismus seiner Zeit gerichtet, sondern
gegen das Christentum selbst, ja gegen die Idee des Christentums, gegen den Spiritualismus. In der Tat, durch die
affichierte Angst vor dem nackten Busen der Dorine, durch
die Worte

> Le ciel défend, de vrai, certains contentements,
> mais on trouve avec lui des accomodements —

dadurch wurde nicht bloß die gewöhnliche Scheinheilig-
keit persifliert, sondern auch die allgemeine Lüge, die aus
der Unausführbarkeit der christlichen Idee notwendig entsteht; persifliert wurde dadurch das ganze System von

Konzessionen, die der Spiritualismus dem Sensualismus machen mußte. Wahrlich, der Jansenismus hatte immer weit mehr Grund, als der Jesuitismus sich durch die Darstellung des „Tartüff" verletzt zu fühlen, und Molière dürfte den heutigen Methodisten noch immer eben so mißbehagen, wie den katholischen Devoten seiner Zeit. Darum eben ist Molière so groß, weil er, gleich Aristophanes und Cervantes, nicht bloß temporelle Zufälligkeiten, sondern das Ewig-Lächerliche, die Urschwächen der Menschheit, persifliert. Voltaire, der immer nur das Zeitliche und Unwesentliche angriff, muß ihm in dieser Beziehung nachstehen.

Jene Persiflage aber, namentlich die Voltairesche, hat in Frankreich ihre Mission erfüllt, und wer sie weiter fortsetzen wollte, handelte eben so unzeitgemäß, wie unklug. Denn wenn man die letzten sichtbaren Reste des Katholizismus vertilgen würde, könnte es sich leicht ereignen, daß die Idee desselben sich in eine neue Form, gleichsam in einen neuen Leib flüchtet, und, sogar den Namen Christentum ablegend, in dieser Umwandlung uns noch weit verdrießlicher belästigen könnte, als in ihrer jetzigen gebrochenen, ruinierten und allgemein diskreditierten Gestalt. Ja, es hat sein Gutes, daß der Spiritualismus durch eine Religion und eine Priesterschaft repräsentiert werde, wovon die erstere ihre beste Kraft schon verloren und letztere mit dem ganzen Freiheitsenthusiasmus unserer Zeit in direkter Opposition steht.

Aber warum ist uns denn der Spiritualismus so sehr zuwider? Ist er etwas so Schlechtes? Keineswegs. Rosenöl ist eine kostbare Sache, und ein Fläschchen desselben ist erquicksam, wenn man in den verschlossenen Gemächern des Harem seine Tage vertrauern muß. Aber wir wollen dennoch nicht, daß man alle Rosen dieses Lebens zertrete und zerstampfe, um einige Tropfen Rosenöl zu gewinnen, und mögen diese noch so tröstsam wirken. Wir sind vielmehr wie die Nachtigallen, die sich gern an der Rose selber ergötzen, und von ihrer errötend blühenden Erscheinung eben so beseligt werden, wie von ihrem unsichtbaren Dufte.

Ich habe oben geäußert, daß es eigentlich der Spiritualismus war, welcher bei uns den Katholizismus angriff. Aber dieses gilt nur vom Anfang der Reformation; sobald der Spiritualismus in das alte Kirchengebäude Bresche geschossen, stürzte der Sensualismus hervor mit all seiner lang verhaltenen Glut, und Deutschland wurde der wildeste Tummelplatz von Freiheitsrausch und Sinnenslust. Die unterdrückten Bauern hatten in der neuen Lehre geistliche Waffen gefunden, mit denen sie den Krieg gegen die Aristokratie führen konnten; die Lust zu einem solchen Kriege war schon seit anderthalb Jahrhundert vorhanden. Zu Münster lief der Sensualismus nackt durch die Straßen, in der Gestalt des Jan van Leiden, und legte sich mit seinen zwölf Weibern in jene große Bettstelle, welche noch heute auf dem dortigen Rathause zu sehen ist. Die Klosterpforten öffneten sich überall, und Nonnen und Mönchlein stürzten sich in die Arme und schnäbelten sich. Ja, die äußere Geschichte jener Zeit besteht fast aus lauter sensualischen Emeuten; wie wenig Resultate davon geblieben, wie der Spiritualismus jene Tumultuanten wieder unterdrückte, wie er allmählich im Norden seine Herrschaft sicherte, aber durch einen Feind, den er im eigenen Busen erzogen, nämlich durch die Philosophie, zu Tode verwundet wurde, sehen wir später. Es ist dieses eine sehr verwickelte Geschichte, schwer zu entwirren. Der katholischen Partei wird es leicht, nach Belieben die schlimmsten Motive hervorzukehren, und wenn man sie sprechen hört, galt es nur die frechste Sinnlichkeit zu legitimieren und die Kirchengüter zu plündern. Freilich, die geistigen Interessen müssen immer mit den materiellen Interessen eine Allianz schließen, um zu siegen. Aber der Teufel hatte die Karten so sonderbar gemischt, daß man über die Intentionen nichts Sicheres mehr sagen kann.

Die erlauchten Leute, die Anno 1521 im Reichssaale zu Worms versammelt waren, mochten wohl allerlei Gedanken im Herzen tragen, die im Widerspruch standen mit den Worten ihres Mundes. Da saß ein junger Kaiser, der sich, mit jugendlicher Herrscherwonne, in seinen neuen Purpurmantel wickelte, und sich heimlich freute, daß der stolze Römer, der die Vorgänger im Reiche so oft mißhandelt und noch immer seine Anmaßungen nicht aufgegeben, jetzt die wirksamste Zurechtweisung gefunden. Der Repräsentant jenes Römers hatte seinerseits wieder die geheime Freude, daß ein Zwiespalt unter jenen Deutschen entstand, die, wie betrunkene Barbaren, so oft das schöne Italian überfallen und ausgeplündert, und es noch immer mit neuen Überfällen und Plünderungen bedrohten. Die weltlichen Fürsten freuten sich, daß sie, mit der neuen Lehre, sich auch zu gleicher Zeit die alten Kirchengüter zu Gemüte führen konnten. Die hohen Prälaten überlegten schon, ob sie nicht ihre Köchinnen heuraten und ihre Kurstaaten, Bistümer und Abteien auf ihre männlichen Sprößlinge vererben könnten. Die Abgeordneten der Städte freuten sich einer neuen Erweiterung ihrer Uhabhängigkeit. Jeder hatte hier was zu gewinnen und dachte heimlich an irdische Vorteile.

Doch ein Mann war dort, von dem ich überzeugt bin, daß er nicht an sich dachte, sondern nur an die göttlichen Interessen, die er vertreten sollte. Dieser Mann war Martin Luther, der arme Mönch, den die Vorsehung auserwählt, jene römische Weltmacht zu brechen, wogegen schon die stärksten Kaiser und kühnsten Weisen vergeblich angekämpft. Aber die Vorsehung weiß sehr gut, auf welche Schultern sie ihre Lasten legt; hier war nicht bloß eine geistige, sondern auch eine physische Kraft nötig. Eines durch klösterliche Strenge und Keuschheit von Jugend auf gestählten Leibes bedurfte es, um die Mühseligkeiten eines solches Amtes zu ertragen. Unser teurer Meister war damals noch mager und sah sehr blaß aus, so daß die roten wohlgefütterten Herren des Reichstags fast mit Mitleid auf den armseligen Mann in der schwarzen Kutte herabsahen. Aber er war doch ganz gesund, und seine Nerven waren so fest, daß ihn der glänzende Tumult nicht im mindesten einschüchterte, und gar seine Lunge muß stark gewesen sein. Denn, nachdem er seine lange Verteidigung gesprochen, mußte er, weil der Kaiser kein Hochdeutsch verstand, sie in lateinischer Sprache wiederholen. Ich ärgere mich jedesmal, wenn ich daran denke; denn unser teurer Meister stand neben einem offenen Fenster, der Zugluft ausgesetzt, während ihm der Schweiß von der Stirne troff. Durch das lange Reden mochte er wohl sehr ermüdet und sein Gaumen mochte wohl etwas trocken geworden sein. Der muß jetzt großen Durst haben, dachte gewiß der Herzog von Braunschweig; wenigstens lesen wir, daß er dem Martin Luther drei Kannen des besten Eimbecker Biers in die Herberge zuschickte. Ich werde diese edle Tat dem Hause Braunschweig nie vergessen.

Wie von der Reformation, so hat man auch von ihren Helden sehr falsche Begriffe in Frankreich. Die nächste Ursache dieses Nichtbegreifens liegt wohl darin, daß Luther nicht bloß der größte, sondern auch der deutscheste Mann unserer Geschichte ist; daß in seinem Charakter alle Tugenden und Fehler der Deutschen aufs Großartigste vereinigt sind, daß er auch persönlich das wunderbare Deutschland repräsentiert. Dann hatte er auch Eigenschaften, die wir selten vereinigt finden, und die wir gewöhnlich sogar als feindliche Gegensätze antreffen. Er war zugleich ein träumerischer Mystiker und ein praktischer Mann in der Tat.

Seine Gedanken hatten nicht bloß Flügel, sondern auch Hände; er sprach und handelte. Er war nicht bloß die Zunge, sondern auch das Schwert seiner Zeit. Auch war er zugleich ein kalter scholastischer Wortklauber und ein begeisterter, gottberauschter Prophet. Wenn er des Tags über mit seinen dogmatischen Distinktionen sich mühsam abgearbeitet, dann griff er des Abends zu seiner Flöte, und betrachtete die Sterne und zerfloß in Melodie und Andacht. Derselbe Mann, der wie ein Fischweib schimpfen konnte, er konnte auch weich sein wie eine zarte Jungfrau. Er war manchmal wild wie der Sturm, der die Eiche entwurzelt, und dann war er wieder sanft wie der Zephyr, der mit Veilchen kost. Er war voll der schauerlichsten Gottesfurcht, voll Aufopferung zu Ehren des heiligen Geistes, er konnte sich ganz versenken ins reine Geisttum; und dennoch kannte er sehr gut die Herrlichkeiten dieser Erde, und wußte sie zu schätzen, und aus seinem Munde erblühte der famose Wahlspruch: Wer nicht liebt Wein, Weiber und Gesang, der bleibt ein Narr sein Lebenlang. Er war ein kompletter Mensch, ich möchte sagen: Ein absoluter Mensch, in welchem Geist und Materie nicht getrennt sind. Ihn einen Spiritualisten nennen, wäre daher ebenso irrig, als nennte man ihn einen Sensualisten. Wie soll ich sagen, er hatte etwas Ursprüngliches, Unbegreifliches, Mirakulöses, wie wir es bei allen providentiellen Männern finden, etwas Schauerlich-Naives, etwas Tölpelhaft-Kluges, etwas Erhaben-Borniertes, etwas Unbezwingbar-Dämonisches.

Luthers Vater war Bergmann zu Mansfeld, und da war der Knabe oft bei ihm in der unterirdischen Werkstatt, wo die mächtigen Metalle wachsen und die starken Urquellen rieseln, und das junge Herz hatte vielleicht unbewußt die geheimsten Naturkräfte, in sich eingesogen oder wurde gar gefeit von den Berggeistern. Daher mag auch so viel Erdstoff, so viel Leidenschaftschlacke an ihm kleben geblieben sein, wie man dergleichen ihm hinlänglich vorwirft. Man hat aber Unrecht, ohne jene irdische Beimischung hätte er nicht ein Mann der Tat sein können. Reine Geister können nicht handeln. Erfahren wir doch aus Jung Stillings Gespensterlehre, daß die Geister sich zwar recht farbig und bestimmt versichtbaren können, auch wie lebendige Menschen zu gehen, zu laufen, zu tanzen, und alle möglichen Gebärden zu machen verstehen, daß sie aber nichts Materielles, nicht den kleinsten Nachttisch, von seiner Stelle fortzubewegen vermögen.

Ruhm dem Luther! Ewiger Ruhm dem teuren Manne, dem wir die Rettung unserer edelsten Güter verdanken, und von dessen Wohltaten wir noch heute leben! Es ziemt uns wenig, über die Beschränktheit seiner Ansichten zu klagen. Der Zwerg, der auf den Schultern des Riesen steht, kann freilich weiter schauen als dieser selbst, besonders wenn er eine Brille aufgesetzt; aber zu der erhöhten Anschauung fehlt das hohe Gefühl, das Riesenherz, das wir uns nicht aneignen können. Es ziemt uns noch weniger, über seine Fehler ein herbes Urteil zu fällen; diese Fehler haben uns mehr genutzt als die Tugenden von tausend Andern. Die Feinheit des Erasmus und die Milde des Melanchthon hätten uns nimmer so weit gebracht wie manchmal die göttliche Brutalität des Bruder Martin. Ja, der Irrtum in Betreff des Beginnes, wie ich ihn oben angedeutet, hat die kostbarsten Früchte getragen, Früchte, waran sich die ganze Menschheit erquickt. Von dem Reichstage an, wo Luther die Autorität des Papstes leugnet und öffentlich erklärt: „Daß man seine Lehre durch die Aussprüche der Bibel selbst oder durch vernünftige Gründe widerlegen müsse!" da beginnt ein neues Zeitalter in Deutschland. Die Kette, womit der heilige Bonifaz die deutsche Kirche an Rom gefesselt, wird entzwei gehauen. Diese Kirche, die vorher

einen integrierenden Teil der großen Hierarchie bildete,
zerfällt in religiöse Demokrazien. Die Religion selber wird
eine andere; es verschwindet daraus das indisch gnostische
Element, und wir sehen, wie sich wieder das judäisch-
deistische Element darin erhebt. Es entsteht das evangelische Christentum. Indem die notwendigsten Ansprüche
der Materie nicht bloß berücksichtigt, sondern auch legitimiert werden, wird die Religion wieder eine Wahrheit.
Der Priester wird ein Mensch, und nimmt ein Weib und
zeugt Kinder, wie Gott es verlangt. Dagegen Gott selbst
wird wieder ein himmlischer Hagenstolz ohne Familie; die
Legitimität seines Sohnes wird bestritten; die Heiligen
werden abgedankt; den Engeln werden die Flügel beschnit-
ten; die Muttergottes verliert alle ihre Ansprüche an die
himmlische Krone und es wird ihr untersagt, Wunder zu
tun. Überhaupt von nun an, besonders seit die Naturwissenschaften so große Fortschritte machen, hören die
Wunder auf. Sei es nun, daß es den lieben Gott verdrießt,
wenn ihm die Physiker so mißtrauisch auf die Finger sehen,
sei es auch, daß er nicht gern mit Bosko konkurrieren will:
Sogar in der jüngsten Zeit, wo die Religion so sehr gefährdet ist, hat er es verschmäht, sie durch irgend ein eklatantes
Wunder zu unterstützen. Vielleicht wird er von jetzt an,
bei allen neuen Religionen, die er auf dieser Erde einführt,
sich auf gar keine heiligen Kunststücke mehr einlassen, und
die Wahrheiten der neuen Lehren immer durch die Vernunft beweisen; was auch am vernünftigsten ist. Wenigstens beim Saint-Simonismus, welcher die neueste Religion, ist gar kein Wunder vorgefallen, ausgenommen etwa,
daß eine alte Schneiderrechnung, die Saint-Simon auf Erden schuldig geblieben, zehn Jahr nach seinem Tode, von
seinen Schülern bar bezahlt worden ist. Noch sehe ich, wie
der vortreffliche Père Olinde, in der Salle-Taitbout, be-
geistrungsvoll sich erhebt, und der erstaunten Gemeinde

die quittierte Schneiderrechnung vorhält. Junge Epiciers stutzten ob solchem übernatürlichen Zeugnis. Die Schneider aber fingen schon an zu glauben!

Indessen, wenn bei uns in Deutschland, durch den Protestantismus, mit den alten Mirakeln auch sehr viel andere Poesie verloren ging, so gewannen wir doch mannigfaltigen Ersatz. Die Menschen wurden tugendhafter und edler. Der Protestantismus hatte den günstigsten Einfluß auf jene Reinheit der Sitten und jene Strenge in der Ausübung der Pflichten, welche wir gewöhnlich Moral nennen; ja, der Protestantismus hat in manchen Gemeinden eine Richtung genommen, wodurch er am Ende mit dieser Moral ganz zusammenfällt, und das Evangelium nur als schöne Parabel gültig bleibt. Besonders sehen wir jetzt eine erfreuliche Veränderung im Leben der Geistlichen. Mit dem Zölibat verschwanden auch fromme Unzüchten und Mönchslaster. Unter den protestantischen Geistlichen finden wir nicht selten die tugendhaftesten Menschen, Menschen, vor denen selbst die alten Stoiker Respekt hätten. Man muß zu Fuß als armer Student, durch Norddeutschland wandern, um zu erfahren, wie viel Tugend, und damit ich der Tugend ein schönes Beiwort gebe, wieviel evangelische Tugend manchmal in so einer scheinlosen Pfarrerwohnung zu finden ist. Wie oft, des Winterabends, fand ich da eine gastfreie Aufnahme, ich ein Fremder, der keine andere Empfehlung mitbrachte, außer daß ich Hunger hatte und müde war. Wenn ich dann gut gegessen und gut geschlafen hatte, und des Morgens weiter ziehen wollte, kam der alte Pastor im Schlafrock und gab mir noch den Segen auf den Weg, welches mir nie Unglück gebracht hat; und die gutmütig geschwätzige Frau Pastorin steckte mir einige Butterbröte in die Tasche, welche mich nicht minder erquickten; und in schweigender Ferne standen die schönen Predigertöchter mit ihren errötenden Wangen und Veilchenaugen, deren schüchternes Feuer, noch in der Erinnerung, für den ganzen Wintertag mein Herz erwärmte.

Indem Luther den Satz aussprach, daß man seine Lehre nur durch die Bibel selber, oder durch vernünftige Gründe, widerlegen müsse, war der menschlichen Vernunft das Recht eingeräumt, die Bibel zu erklären und sie, die Vernunft, war als oberste Richterin in allen religiösen Streitfragen anerkannt. Dadurch entstand in Deutschland die sogenannte Geistesfreiheit, oder, wie man sie ebenfalls nennt, die Denkfreiheit. Das Denken ward ein Recht und die Befugnisse der Vernunft wurden legitim. Freilich, schon seit einigen Jahrhunderten hatte man ziemlich frei denken und reden können, und die Scholastiker haben über Dinge disputiert, wovon wir kaum begreifen, wie man sie im Mittelalter auch nur aussprechen durfte. Aber dieses geschah vermittelst der Distinktion, welche man zwischen theologischer und philosophischer Wahrheit machte, eine Distinktion, wodurch man sich gegen Ketzerei ausdrücklich verwahrte; und das geschah auch nur innerhalb den Hörsälen der Universitäten, und in einem gotisch abstrusen Latein, wovon doch das Volk nichts verstehen konnte, so daß wenig Schaden für die Kirche dabei zu befürchten war. Dennoch hatte die Kirche solches Verfahren nie eigentlich erlaubt, und dann und wann hat sie auch wirklich einen armen Scholastiker verbrannt. Jetzt aber, seit Luther, machte man gar keine Distinktion mehr zwischen theologischer und philosophischer Wahrheit, und man disputierte auf öffentlichem Markt, und in der deutschen Landessprache und ohne Scheu und Furcht. Die Fürsten, welche die Reformation annahmen, haben diese Denkfreiheit legitimiert, und eine wichtige, weltwichtige Blüte derselben ist die deutsche Philosophie.

In der Tat, nicht einmal in Griechenland hat der menschliche Geist sich so frei aussprechen können wie in

Deutschland seit der Mitte des vorigen Jahrhunderts bis
zur französischen Invasion. Namentlich in Preußen herrschte eine grenzenlose Gedankenfreiheit. Der Marquis von
Brandenburg hatte begriffen, daß er, der nur durch das
protestantische Prinzip ein legitimer König von Preußen
sein konnte, auch die protestantische Denkfreiheit aufrecht
erhalten mußte.

Seitdem freilich haben sich die Dinge verändert, und der
natürliche Schirmvogt unserer protestantischen Denkfreiheit hat sich, zur Unterdrückung derselben, mit der ultra-
montanen Partei verständigt, und er benutzt oft dazu die
Waffe, die das Papsttum zuerst gegen uns ersonnen und
angewandt: Die Zensur.

Sonderbar! Wir Deutschen sind das stärkste und das
klügste Volk. Unsere Fürstengeschlechter sitzen auf allen
Thronen Europas, unsere Rothschilde beherrschen alle
Börsen der Welt, unsere Gelehrten regieren in allen Wissenschaften, wir haben das Pulver erfunden und die Buch-
druckerei; — und dennoch, wer bei uns eine Pistole los-
schießt, bezahlt drei Taler Strafe, und wenn wir in den
„Hamburger Correspondent" setzen wollen: „Meine liebe
Gattin ist in Wochen gekommen, mit einem Töchterlein,
schön wie die Freiheit!" dann greift der Herr Doktor Hoffmann zu seinem Rotstift und streicht uns „die Freiheit".

Wird dieses noch lange geschehen können? Ich weiß
nicht. Aber ich weiß, die Frage der Preßfreiheit, die jetzt
in Deutschland so heftig diskutiert wird, knüpft sich bedeutungsvoll an die obigen Betrachtungen, und ich glaube ihre
Lösung ist nicht schwer, wenn man bedenkt, daß die Preßfreiheit nichts anderes ist, als die Konsequenz der Denkfreiheit und folglich ein protestantisches Recht. Für Rechte
dieser Art hat der Deutsche schon sein bestes Blut gegeben,
und er dürfte wohl dahin gebracht werden, noch einmal in
die Schranken zu treten.

Dasselbe ist anwendbar auf die Frage von der akademischen Freiheit, die jetzt so leidenschaftlich die Gemüter in Deutschland bewegt. Seit man entdeckt zu haben glaubt, daß auf den Universitäten am meisten politische Aufregung, nämlich Freiheitsliebe, herrscht, seitdem wird den Souverainen von allen Seiten insinuiert, daß man diese Institute unterdrücken, oder doch wenigstens in gewöhnliche Unterrichtsanstalten verwandeln müsse. Da werden nun Pläne geschmiedet und das Pro und Contra diskutiert. Die öffentlichen Gegner der Universitäten, eben so wenig wie die öffentlichen Verteidiger, die wir bisher vernommen, scheinen aber die letzten Gründe der Frage nicht zu verstehen. Jene begreifen nicht, daß die Jugend überall und unter allen Disziplinen für die Interessen der Freiheit begeistert sein wird, und daß, wenn man die Universitäten unterdrückt, jene begeisterte Jugend anderswo, und vielleicht, in Verbindung mit der Jugend des Handelsstands und der Gewerbe, sich desto tatkräftiger aussprechen wird. Die Verteidiger suchen nur zu beweisen, daß mit den Universitäten auch die Blüte der deutschen Wissenschaftlichkeit zu Grunde ginge, daß eben die akademische Freiheit den Studien so nützlich sei, daß die Jugend dadurch so hübsch Gelegenheit finde, sich vielseitig auszubilden usw. Als ob es auf einige griechische Vokabeln oder einige Roheiten mehr oder weniger hier ankomme!

Und was gölte den Fürsten alle Wissenschaft, Studien oder Bildung, wenn die heilige Sicherheit ihrer Throne gefährdet stünde! Sie waren heroisch genug, alle jene relativen Güter für das einzig absolute, für ihre absolute Herrschaft aufzuopfern. Denn diese ist ihnen von Gott anvertraut, und wo der Himmel gebietet, müssen alle irdischen Rücksichten weichen.

Mißverstand ist sowohl auf Seiten der armen Professoren, die als Vertreter, wie auf Seiten der Regierungsbeamten, die als Gegner der Universitäten öffentlich auftreten. Nur die katholische Propaganda in Deutschland begreift die Bedeutung derselben, diese frommen Obskuranten sind die gefährlichsten Gegner unseres Universitätssystems, diese wirken dagegen meuchlerisch mit Lug und Trug, und gar, wenn sich einer von ihnen den liebevollen Anschein gibt, als wollte er den Universitäten das Wort reden, offenbart sich die jesuitische Intrige. Wohl wissen diese feigen Heuchler, was hier auf dem Spiel steht zu gewinnen. Denn mit den Universitäten fällt auch die protestantische Kirche, die seit der Reformation nur in jenen wurzelt, so daß die ganze protestantische Kirchengeschichte der letzten Jahrhunderte fast nur aus den theologischen Streitigkeiten der Wittenberger, Leipziger, Tübinger und Halleschen Universitätsgelehrten besteht. Die Konsistorien sind nur der schwache Abglanz der theologischen Fakultät, sie verlieren mit dieser allen Halt und Charakter, und sinken in die öde Abhängigkeit der Ministerien oder gar der Polizei.

Doch laßt uns solchen melancholischen Betrachtungen nicht zu viel Raum geben, um so mehr, da wir hier noch dem providentiellen Manne zu reden haben, durch welchen so Großes für das deutsche Volk geschehen. Ich habe oben gezeigt, wie wir durch ihn zur größten Denkfreiheit gelangt. Aber dieser Martin Luther gab uns nicht bloß die Freiheit der Bewegung, sondern auch das Mittel der Bewegung, dem Geist gab er nämlich einen Leib. Er gab dem Gedanken auch das Wort. Er schuf die deutsche Sprache.

Dieses geschah, indem er die Bibel übersetzte.

In der Tat, der göttliche Verfasser dieses Buchs scheint es eben so gut wie wir andere gewußt zu haben, daß es garnicht gleichgültig ist durch wen man übersetzt wird, und er wählte selber seinen Übersetzer, und verlieh ihm die wundersame Kraft, aus einer toten Sprache, die gleichsam schon begraben war, in eine andere Sprache zu übersetzen, die noch gar nicht lebte.

Man besaß zwar die Vulgata, die man verstand, sowie auch die Septuaginta, die man schon verstehen konnte. Aber die Kenntnis des Hebräischen war in der christlichen Welt ganz erloschen. Nur die Juden, die sich, hie und da, in einem Winkel dieser Welt verborgen hielten, bewahrten noch die Traditionen dieser Sprache. Wie ein Gespenst, das einen Schatz bewacht, der ihm einst im Leben anvertraut worden, so saß dieses gemordete Volk, dieses Volk-Gespenst, in seinen dunklen Ghettos und bewahrte dort die hebräische Bibel; und in diese verrufenen Schlupfwinkel sah man die deutschen Gelehrten heimlich hinabsteigen, um den Schatz zu heben, um die Kenntnis der hebräischen Sprache zu erwerben. Als die katholische Geistlichkeit merkte, daß ihr von dieser Seite Gefahr drohte, daß das Volk auf diesem Seitenweg zum wirklichen Wort Gottes gelangen und die römischen Fälschungen entdecken konnte: Da hätte man gern auch die jüdische Tradition unterdrückt, und man ging damit um, alle hebräischen Bücher zu vernichten, und am Rhein begann die Bücherverfolgung, wogegen unser vortrefflicher Doktor Reuchlin so glorreich gekämpft hat. Die Kölner Theologen, die damals agierten, besonders Hochstraaten, waren keineswegs so geistesbeschränkt, wie der tapfere Mitkämpfer Reuchlins, Ritter Ulrich von Hutten, sie in seinen „litteris obscurorum virorum" schildert. Es galt die Unterdrückung der hebräischen Sprache. Als Reuchlin siegte, konnte Luther sein Werk beginnen. In einem Briefe, den dieser damals an Reuchlin schrieb, scheint er schon zu fühlen, wie wichtig der Sieg war, den jener erfochten, und in einer abhängig schwierigen Stellung erfochten, während er, der Augustinermönch, ganz unabhängig stand; sehr naiv sagt er in diesem Brief: Ego nihil timeo, quia nihil habeo.

Wie aber Luther zu der Sprache gelangst ist, worin er seine Bibel übersetzte, ist mir bis auf diese Stunde unbegreiflich. Der altschwäbische Dialekt war, mit der Ritterpoesie der hohenstaufenschen Kaiserzeit, gänzlich untergegangen. Der altsächsische Dialekt, das sogenannte Plattdeutsche, herrschte nur in einem Teile des nördlichen Deutschlands, und hat sich, trotz aller Versuche, die man gemacht, nie zu literärischen Zwecken eignen wollen. Nahm Luther zu seiner Bibelübersetzung die Sprache, die man im heutigen Sachsen sprach, so hätte Adelung Recht gehabt, zu behaupten, daß der sächsische, namentlich der meißensche Dialekt unser eigentliches Hochdeutsch, d. h. unsere Schriftsprache, sei. Aber dieses ist längst widerlegt worden, und ich muß dieses hier um so schärfer erwähnen, da solcher Irrtum in Frankreich noch immer gäng und gäbe ist. Das heutige Sächsische war nie ein Dialekt des deutschen Volks, eben so wenig, wie etwa das Schlesische; denn so wie dieses, entstand es durch slavische Färbung. Ich bekenne daher offenherzig, ich weiß nicht, wie die Sprache, die wir in der Lutherischen Bibel finden, entstanden ist. Aber ich weiß, daß durch diese Bibel, wovon die junge Presse, die schwarze Kunst, Tausende von Exemplaren ins Volk schleuderte, die Lutherische Sprache in wenigen Jahren über ganz Deutschland verbreitet und zur allgemeinen Schriftsprache erhoben wurde. Diese Schriftsprache herrscht noch immer in Deutschland, und gibt diesem politisch und religiös zerstückelten Lande eine literärische Einheit. Ein solches unschätzbares Verdienst mag uns bei dieser Sprache dafür entschädigen, daß sie, in ihrer heutigen Ausbildung, etwas von jener Innigkeit entbehrt, welche wir bei Sprachen, die sich aus einem einzigen Dialekt gebildet, zu finden pflegen. Die Sprache in Luthers Bibel entbehrt jedoch durchaus nicht einer solchen Innigkeit, und dieses alte Buch ist eine ewige Quelle der Verjüngung für unsere

F

Sprache. Alle Ausdrücke und Wendungen, die in der Lutherischen Bibel stehn, sind deutsch, der Schriftsteller darf sie immerhin noch gebrauchen; und da dieses Buch in den Händen der ärmsten Leute ist, so bedürfen diese keiner besonderen gelehrten Anleitung, um sich literarisch aussprechen zu können.

Dieser Umstand wird, wenn bei uns die politische Revolution ausbricht, gar merkwürdige Erscheinungen zur Folge haben. Die Freiheit wird überall sprechen können und ihre Sprache wird biblisch sein.

Luthers Originalschriften haben ebenfalls dazu beigetragen, die deutsche Sprache zu fixieren. Durch ihre polemische Leidenschaftlichkeit drangen sie tief in das Herz der Zeit. Ihr Ton ist nicht immer sauber. Aber man macht auch keine religiöse Revolution mit Orangenblüte. Zu dem groben Klotz gehört manchmal ein grober Keil. In der Bibel ist Luthers Sprache, aus Ehrfurcht vor dem gegenwärtigen Geist Gottes, immer in eine gewisse Würde gebannt. In seinen Streitschriften hingegen überläßt er sich einer plebejischen Roheit, die oft eben so widerwärtig, wie grandios ist. Seine Ausdrücke und Bilder gleichen dann jenen riesenhaften Steinfiguren, die wir in indischen oder ägyptischen Tempelgrotten finden, und deren grelles Kolorit und abenteuerliche Häßlichkeit uns zugleich abstößt und anzieht. Durch diesen barocken Felsenstil erscheint uns der kühne Mönch manchmal wie ein religiöser Danton, ein Prediger des Berges, der, von der Höhe desselben, die bunten Wortblöcke hinabschmettert auf die Häupter seiner Gegner.

Merkwürdiger und bedeutender als diese prosaischen Schriften sind Luthers Gedichte, die Lieder, die, in Kampf und Not, aus seinem Gemüte entsprossen. Sie gleichen manchmal einer Blume, die auf einem Felsen wächst, manchmal einem Mondstrahl, der über ein bewegtes Meer

hinzittert. Luther liebte die Musik, er hat sogar einen
Traktat über diese Kunst geschrieben, und seine Lieder
sind daher außerordentlich melodisch. Auch in dieser Hinsicht gebührt ihm der Name: Schwan von Eisleben. Aber
er war nichts weniger als ein milder Schwan in manchen
Gesängen, wo er den Mut der Seinigen anfeuert und sich
selber zur wildesten Kampflust begeistert. Ein Schlacht-
lied war jener trotzige Gesang, womit er und seine Begleiter
in Worms einzogen. Der alte Dom zitterte bei diesen neuen
Klängen, und die Raben erschraken in ihren obskuren
Turmnestern. Jenes Lied, die Marseiller Hymne der Reformation, hat bis auf unsere Tage seine begeisternde Kraft
bewahrt.

> Eine feste Burg ist unser Gott,
> ein gute Wehr und Waffen,
> er hilft uns frei aus aller Not,
> die uns jetzt hat betroffen.
> Der alte böse Feind
> mit Ernst ers jetzt meint,
> groß Macht und viel List
> sein grausam Rüstung ist,
> auf Erd ist nicht seins Gleichen.

> Mit unsrer Macht ist nichts getan,
> wir sind gar bald verloren,
> es streit't für uns der rechte Mann,
> den Gott selbst hat erkoren.
> Fragst du, wer es ist?
> Er heißt Jesus Christ,
> der Herr Zebaoth,
> und ist kein andrer Gott,
> das Feld muß er behalten.

Und wenn die Welt voll Teufel wär
und wollten uns verschlingen,
so fürchten wir uns nicht so sehr,
es soll uns doch gelingen;
der Fürst dieser Welt,
wie sauer er sich stellt,
tut er uns doch nicht,
das macht, er ist gericht't,
ein Wörtlein kann ihn fällen.

Das Wort sie sollen lassen stahn,
und keinen Dank dazu haben,
es ist bei uns wohl auf dem Plan
mit seinem Geist und Gaben.
Nehmen sie uns den Leib,
Gut, Ehr, Kind und Weib,
Laß fahren dahin,
Sie habens kein Gewinn,
das Reich muß uns doch bleiben.

Ich habe gezeigt, wie wir unserm teuern Doktor Martin
Luther die Geistesfreiheit verdanken, welche die neuere
Literatur zu ihrer Entfaltung bedurfte. Ich habe gezeigt,
wie er uns auch das Wort schuf, die Sprache, worin diese
neue Literatur sich aussprechen konnte. Ich habe jetzt nur
noch hinzuzufügen, daß er auch selber diese Literatur
eröffnet, daß diese, und ganz eigentlich die schöne Literatur
mit Luther beginnt, daß seine geistlichen Lieder sich als
die ersten wichtigen Erscheinungen derselben ausweisen
und schon den bestimmten Charakter derselben kund geben.
Wer über die neuere deutsche Literatur reden will, muß
daher mit Luther beginnen, und nicht etwa mit einem
nüremberger Spießbürger, namens Hans Sachs, wie aus un-
redlichem Mißwollen von einigen romantischen Literatoren

geschehen ist. Hans Sachs, dieser Troubadour der ehrbaren Schusterzunft, dessen Meistergesang nur eine läppische Parodie der früheren Minnelieder und dessen Dramen nur eine tölpelhafte Travestie der alten Mysterien, dieser pedantische Hanswurst, der die freie Naivität des Mittelalters ängstlich nachäfft, ist vielleicht als der letzte Poet der älteren Zeit, keineswegs aber als der erste Poet der neueren Zeit zu betrachten. Es wird dazu keines weiteren Beweises bedürfen, als daß ich den Gegensatz unserer neuen Literatur zur älteren mit bestimmten Worten erörtere.

Betrachten wir daher die deutsche Literatur, die vor Luther blühte, so finden wir:

1. Ihr Material, ihr Stoff ist, wie das Leben des Mittelalters selbst, eine Mischung zweier heterogener Elemente, die in einem langen Zweikampf sich so gewaltig umschlungen, daß sie am Ende ineinander verschmolzen, nämlich: die Germanische Nationalität und das indisch gnostische, sogenannte katholische Christentum.

2. Die Behandlung, oder vielmehr der Geist der Behandlung in dieser älteren Literatur ist romantisch. Abusive sagt man dasselbe auch von dem Material jener Literatur, von allen Erscheinungen des Mittelalters, die durch die Verschmelzung der erwähnten beiden Elemente, germanische Nationalität und katholisches Christentum, entstanden sind. Denn, wie einige Dichter des Mittelalters die griechische Geschichte und Mythologie ganz romantisch behandelt haben, so kann man auch die mittelalterlichen Sitten und Legenden in klassischer Form darstellen. Die Ausdrücke „klassisch" und „romantisch" beziehen sich also nur auf den Geist der Behandlung. Die Behandlung ist klassisch, wenn die Form des Dargestellten ganz identisch ist mit der Idee des Darzustellenden, wie dieses der Fall ist bei den Kunstwerken der Griechen, wo daher in dieser Identität auch die größe Harmonie zwischen Form

und Idee zu finden. Die Behandlung ist romantisch, wenn die Form nicht durch Identität die Idee offenbart, sondern parabolisch diese Idee erraten läßt. Ich gebrauche hier das Wort „parabolisch" lieber als das Wort „symbolisch". Die griechische Mythologie hatte eine Reihe von Göttergestalten, deren jede, bei aller Identität der Form und der Idee, dennoch eine symbolische Bedeutung bekommen konnte. Aber in dieser griechischen Religion war eben nur die Gestalt der Götter bestimmt, alles andere, ihr Leben und Treiben, war der Willkür der Poeten zur beliebigen Behandlung überlassen. In der christlichen Religion hingegen gibt es keine so bestimmte Gestalten, sondern bestimmte Fakta, bestimmte heilige Ereignisse und Taten, worin das dichtende Gemüt des Menschen eine parabolische Bedeutung legen konnte. Man sagt, Homer habe die griechischen Götter erfunden; das ist nicht wahr, sie existierten schon vorher in bestimmten Umrissen, aber er erfand ihre Geschichten. Die Künstler des Mittelalters hingegen wagten nimmermehr in dem geschichtlichen Teil ihrer Religion das mindeste zu erfinden; der Sündenfall, die Menschwerdung, die Taufe, die Kreuzigung u. dgl. waren unantastbare Tatsachen, woran nicht gemodelt werden durfte, worin aber das dichtende Gemüt der Menschen eine parabolische Bedeutung legen konnte. In diesem parabolischen Geist wurden nun auch alle Künste im Mittelalter behandelt, und diese Behandlung ist romantisch. Daher in der Poesie des Mittelalters jene mystische Allgemeinheit; die Gestalten sind so schattenhaft, was sie tun ist so unbestimmt, alles ist darin so dämmernd, wie von wechselndem Mondlicht beleuchtet; die Idee ist in der Form nur wie ein Rätsel angedeutet, und wir sehen hier eine vage Form, wie sie eben zu einer spiritualistischen Literatur geeignet war. Da ist nicht wie bei den Griechen eine sonnenklare Harmonie zwischen Form und Idee: Sondern, manchmal überragt die

Idee die gegebene Form, und diese strebt verzweiflungsvoll jene zu erreichen, und wir sehen dann bizarre, abenteuerliche Erhabenheit: Manchmal ist die Form ganz der Idee über den Kopf gewachsen, ein läppisch winziger Gedanke schleppt sich einher in einer kolossalen Form, und wir sehen groteske Farce; fast immer sehen wir Unförmlichkeit.

3. Der allgemeine Charakter jener Literatur war, daß sich in allen Produkten derselben jener feste, sichere Glaube kund gab, der damals in allen weltlichen wie geistlichen Dingen herrschte. Basiert auf Autoritäten waren alle Ansichten der Zeit; der Dichter wandelte, mit der Sicherheit eines Maulesels, längs den Abgründen des Zweifels, und es herrscht in seinen Werken eine kühne Ruhe, eine selige Zuversicht, wie sie später unmöglich war, als die Spitze jener Autoritäten, nämlich die Autorität des Papstes, gebrochen war und alle andere nachstürzten. Die Gedichte des Mittelalters haben daher alle denselben Charakter, es ist als habe sie nicht der einzelne Mensch, sondern das ganze Volk gedichtet; sie sind objektiv, episch und naiv.

In der Literatur hingegen, die mit Luther emporblüht, finden wir ganz das Gegenteil:

1. Ihr Material, der Stoff, der behandelt werden soll, ist der Kampf der Reformationsinteressen und Ansichten mit der alten Ordnung der Dinge. Dem neuen Zeitgeist ist jener Mischglaube, der aus den erwähnten zwei Elementen, germanische Nationalität und indisch gnostisches Christentum, entstanden ist, gänzlich zuwider; letzteres dünkt ihm heidnische Götzendienerei, an dessen Stelle die wahre Religion des judäisch deistischen Evangeliums treten soll. Eine neue Ordnung der Dinge gestaltet sich; der Geist macht Erfindungen, die das Wohlsein der Materie befördern; durch das Gedeihen der Industrie und durch die Philosophie wird der Spiritualismus in der öffentlichen Meinung diskreditiert; der dritte Stand erhebt sich; die

Revolution grollt schon in den Herzen und Köpfen; und
was die Zeit fühlt und denkt und bedarf und will, wird
ausgesprochen, und das ist der Stoff der modernen Literatur.

2. Der Geist der Behandlung ist nicht mehr romantisch,
sondern klassisch. Durch das Wiederaufleben der alten
Literatur verbreitete sich über ganz Europa eine freudige
Begeisterung für die griechischen und römischen Schriftsteller, und die Gelehrten, die einzigen, welche damals
schrieben, suchten den Geist des klassischen Altertums sich
anzueignen, oder wenigstens in ihren Schriften die klassischen Kunstformen nachzubilden. Konnten sie nicht,
gleich den Griechen, eine Harmonie der Form und der
Idee erreichen, so hielten sie sich doch desto strenger an das
Äußere der griechischen Behandlung, sie schieden, nach
griechischer Vorschrift, die Gattungen, enthielten sich jeder
romantischen Extravaganz, und in dieser Beziehung nennen
wir sie klassisch.

3. Der allgemeine Charakter der modernen Literatur
besteht darin, daß jetzt die Individualität und die Skepsis
vorherrschen. Die Autoritäten sind niedergebrochen; nur
die Vernunft ist jetzt des Menschen einzige Lampe, und
sein Gewissen ist sein einziger Stab in den dunkeln Irrgän-
gen dieses Lebens. Der Mensch steht jetzt allein seinem
Schöpfer gegenüber, und singt ihm sein Lied. Daher beginnt diese Literatur mit geistlichen Gesängen. Aber auch
später, wo sie weltlich wird, herrscht darin das innigste
Selbstbewußtsein, das Gefühl der Persönlichkeit. Die
Poesie ist jetzt nicht mehr objektiv, episch und naiv, sondern subjektiv, lyrisch und reflektierend.

ZWEITES BUCH

IM VORIGEN BUCHE haben wir von der großen religiösen Revolution gehandelt, die von Martin Luther in Deutschland repräsentiert ward. Jetzt haben wir von der philosophischen Revolution zu sprechen, die aus jener hervorging, ja, die eben nichts anderes ist, wie die letzte Konsequenz des Protestantismus.

Ehe wir aber erzählen, wie diese Revolution durch Immanuel Kant zum Ausbruch kam, müssen die philosophischen Vorgänge im Auslade, die Bedeutung des Spinoza, die Schicksale der Leibnitzischen Philosophie, die Wechselverhältnisse dieser Philosophie und der Religion, die Reibungen derselben, ihr Zerwürfnis u. dgl. mehr erwähnt werden. Beständig aber halten wir im Auge diejenigen von den Fragen der Philosophie, denen wir eine soziale Bedeutung beimessen, und zu deren Lösung sie mit der Religion konkurriert.

Dieses ist nun die Frage von der Natur Gottes. Gott ist Anfang und Ende aller Weisheit! sagen die Gläubigen in ihrer Demut, und der Philosoph, in allem Stolze seines Wissens, muß diesem frommen Spruche beistimmen.

Nicht Baco, wie man zu lehren pflegt, sondern René Descartes ist der Vater der neuern Philosophie, und in welchem Grade die deutsche Philosophie von ihm abstammt, werden wir ganz deutlich zeigen.

René Descartes ist ein Franzose, und dem großen Frankreich gebührt auch hier der Ruhm der Initiative. Aber das große Frankreich, das geräuschvolle, bewegte, vielschwatzende Land der Franzosen, war nie ein geeigneter Boden

für Philosophie, diese wird vielleicht niemals darauf gedeihen, und das fühlte René Descartes, und er ging nach Holland, dem stillen, schweigenden Lande der Trekschuiten
und Holländer, und dort schrieb er seine philosophischen
Werke. Nur dort konnte er seinen Geist von dem traditionellen Formalismus befreien und eine ganze Philosophie
aus reinen Gedanken emporbauen, die weder dem Glauben
noch der Empirie abgeborgt sind, wie es seitdem von jeder
wahren Philosophie verlangt wird. Nur dort konnte er so
tief in des Denkens Abgründe sich versenken, daß er es in
den letzten Gründen des Selbstbewußtseins ertappte, und
er eben durch den Gedanken das Selbstbewußtsein kon-
statieren konnte, in dem weltberühmten Satze: Cogito ergo
sum.

Aber auch vielleicht nirgends anders als in Holland konnte
Descartes es wagen, eine Philosophie zu lehren, die mit
allen Traditionen der Vergangenheit in den offenbarsten
Kampf geriet. Ihm gebührt die Ehre, die Autonomie der
Philosophie gestiftet zu haben; diese brauchte nicht mehr
die Erlaubnis zum Denken von der Theologie zu erbetteln
und durfte sich jetzt als selbständige Wissenschaft neben
dieselbe hinstellen. Ich sage nicht: Derselben entgegen-
setzen, denn es galt damals der Grundsatz: Die Wahrheiten, wozu wir durch die Philosophie gelangen, sind am
Ende dieselben, welche uns auch die Religion überliefert.
Die Scholastiker, wie ich schon früher bemerkt, hatten
hingegen der Religion nicht bloß die Suprematie über die
Philosophie eingeräumt, sondern auch diese letztere für
ein nichtiges Spiel, für eitel Wortfechterei erklärt, sobald
sie mit den Dogmen der Religion in Widerspruch geriet.
Den Scholastikern war es nur darum zu tun, ihre Gedanken
auszusprechen, gleichviel unter welcher Bedingung. Sie
sagten Ein mal Eins ist Eins, und bewiesen es; aber sie
setzten lächelnd hinzu, das ist wieder ein Irrtum der men-

schlichen Vernunft, die immer irrt, wenn sie mit den Beschlüssen der ökumenischen Konzilien in Widerspruch gerät; Ein mal Eins ist Drei, und das ist die wahre Wahrheit, wie uns längst offenbart worden, im Namen des Vaters, des Sohnes und des heiligen Geistes! Die Scholastiker bildeten, im Geheim, eine philosophische Opposition gegen die Kirche. Aber öffentlich heuchelten sie die größte Unterwürfigkeit, kämpften sogar in manchen Fällen für die Kirche, und bei Aufzügen paradierten sie im Gefolge derselben, ungefähr wie die französischen Oppositionsdeputierten bei den Feierlichkeiten der Restauration. Die Komödie der Scholastiker dauerte mehr als sechs Jahrhunderte, und sie wurde immer trivialer. Indem Descartes den Scholastizismus zerstörte, zerstörte er auch die verjährte Opposition des Mittelalters. Die alten Besen waren durch das lange Fegen stumpf geworden, es klebte daran allzuviel Kehricht, und die neue Zeit verlangte neue Besen. Nach jeder Revolution muß die bisherige Opposition abdanken; es geschehen sonst große Dummheiten. Wir habens erlebt. Weniger war es nun die katholische Kirche, als vielmehr die alten Gegner derselben, der Nachtrab der Scholastiker, welche sich zuerst gegen die Cartesianische Philosophie erhoben. Erst 1663 verbot sie der Papst.

Ich darf bei Franzosen eine zulängliche, süffisante Bekanntschaft mit der Philosophie ihres Landsmannes voraussetzen, und ich brauche hier nicht erst zu zeigen, wie die entgegengesetztesten Doktrinen aus ihr das nötige Material entlehnen konnten. Ich spreche hier vom Idealismus und vom Materialismus.

Da man, besonders in Frankreich, diese zwei Doktrinen mit den Namen Spiritualismus und Sensualismus bezeichnet, und da ich mich dieser beiden Benennungen in anderer Weise bediene, so muß ich, um Begriffsverwirrungen vorzubeugen, die obigen Ausdrücke näher besprechen.

Seit den ältesten Zeiten gibt es zwei entgegengesetzte Ansichten über die Natur des menschlichen Denkens, d. h. über die letzten Gründe der geistigen Erkenntnis, über die Entstehung der Ideen. Die einen behaupten, wir erlangen unsere Ideen nur von außen, unser Geist sei nur ein leeres Behältnis, worin die von den Sinnen eingeschluckten Anschauungen sich verarbeiten, ungefähr wie die genossenen Speisen in unserem Magen. Um ein besseres Bild zu gebrauchen, diese Leute betrachten unseren Geist wie eine Tabula rasa, worauf später die Erfahrung täglich etwas Neues schreibt, nach bestimmten Schreibregeln.

Die anderen, die entgegengesetzter Ansicht, behaupten: Die Ideen sind dem Menschen angeboren, der menschliche Geist ist der Ursitz der Ideen, und die Außenwelt, die Erfahrung, und die vermittelnden Sinne bringen uns nur zur Erkenntnis dessen, was schon vorher in unserem Geiste war, sie wecken dort nur die schlafenden Ideen.

Die erstere Ansicht hat man nun den Sensualismus, manchmal auch den Empirismus genannt; die andere nannte man den Spiritualismus, manchmal auch den Rationalismus. Dadurch können jedoch leicht Mißverständnisse entstehen, da wir mit diesen zwei Namen, wie ich schon im vorigen Buche erwähnt, seit einiger Zeit auch jene zwei soziale Systeme, die sich in allen Manifestationen des Lebens geltend machen, bezeichnen. Den Namen Spiritualismus überlassen wir daher jener frevelhaften Anmaßung des Geistes, der nach alleiniger Verherrlichung strebend, die Materie zu zertreten, wenigstens zu fletrieren sucht: und den Namen Sensualismus überlassen wir jener Opposition, die, dagegen eifernd, ein Rehabilitieren der Materie bezweckt und den Sinnen ihre Rechte vindiziert, ohne die Rechte des Geistes, ja nicht einmal ohne die Supremacie des Geistes zu leugnen. Auch diese zwei Systeme stehen sich seit Menschengedenken entgegen! denn zu allen Zeiten gibt es Menschen von unvollkommener Genußfähigkeit, verkrüppelten Sinnen und zerknirschtem Fleische, die alle Weintrauben dieses Gottesgartens sauer finden, bei jedem Paradiesapfel die verlockende Schlange sehen und im Entsagen ihren Triumph und im Schmerz ihre Wollust suchen. Dagegen gibt es zu allen Zeiten wohlgewachsene, leibesstolze Naturen, die gern das Haupt hoch tragen; allen Sternen und Rosen lachen sie einverständlich entgegen, sie hören gern die Melodien der Nachtigall und des Rossini, sie lieben das schöne Glück und das Titiansche Fleisch, und dem kopfhängerischen Gesell, dem solches ein Ärgernis, antworten sie wie der Shakespearsche Narr: Meinst du, weil du tugendhaft bist, solle es keinen süßen Sekt und keine Torten auf dieser Welt geben? — Diesen beiden sozialen Systemen lasse ich daher die Namen Spiritualismus und Sensualismus. Hingegen den philosophischen Meinungen über die Natur unserer Erkenntnisse, gebe ich lieber die Namen Idealismus und Materialismus; und ich bezeichne mit dem ersteren die Lehre von den angeborenen Ideen, von den Ideen a priori, und mit dem anderen Namen bezeichne ich die Lehre von der Geisteserkenntnis durch die Erfahrung, durch die Sinne, die Lehre von den Ideen a posteriori.

Bedeutungsvoll ist der Umstand, daß die idealistische Seite der Cartesianischen Philosophie niemals in Frankreich Glück machen wollte. Mehrere berühmte Jansenisten verfolgten einige Zeit diese Richtung, aber sie verloren sich bald in den christlichen Spiritualismus. Vielleicht war es dieser Umstand, welcher den Idealismus in Frankreich diskreditierte. Die Völker ahnen instinktmäßig, wessen sie bedürfen, um ihre Mission zu erfüllen. Die Franzosen waren schon auf dem Wege zu jener politischen Revolution, die erst am Ende des achtzehnten Jahrhunderts ausbrach, und wozu sie eines Beils und einer ebenso kaltscharfen, materialistischen Philosophie bedurften. Der christliche Spiritualismus stand als Mitkämpfer in den Reihen ihrer Feinde, und der Sensualismus wurde daher ihr natürlicher Bundesgenosse. Da die französischen Sensualisten gewöhnlich Materialisten waren, so entstand der Irrtum, daß der Sensualismus nur aus dem Materialismus hervorgehe. Nein, jener kann sich eben so gut als ein Resultat des Pantheismus geltend machen, und da ist seine Erscheinung schön und herrlich. Wir wollen jedoch dem französischen Materialismus keineswegs seine Verdienste absprechen. Der französische Materialismus war ein gutes Gegengift gegen das Übel der Vergangenheit, ein verzweifeltes Heilmittel in einer verzweifelten Krankheit, Merkur für ein infiziertes Volk. Die französischen Philosophen wählten John Locke zu ihrem Meister. Das war der Heiland, dessen sie bedurften. Sein „Essay on human understanding" war ihr Evangelium; darauf schworen sie. John Locke war bei Descartes in die Schule gegangen, und hatte alles von ihm gelernt, was ein Engländer lernen kann: Mechanik, Scheidekunst, Kombinieren, Konstruieren, Rechnen. Nur eins hat er nicht begreifen können, nämlich die angeborenen Ideen. Er vervollkommnete daher die Doktrin, daß wir unsere Erkenntnisse von außen, durch die Erfahrung, erlangen. Er machte den menschlichen Geist zu einer Art Rechenkasten, der ganze Mensch wurde eine englische Maschine. Dieses gilt auch von dem Menschen, wie ihn die Schüler Lockes konstruierten, obgleich sie sich durch verschiedene Benennungen von einander unterscheiden wollen. Sie haben alle Angst vor den letzten Folgerungen ihres obersten Grundsatzes, und der Anhänger Condillacs erschrickt, wenn man ihn mit einem Helvetius, oder gar mit einem Holbach, oder vielleicht noch am Ende mit einem La Mettrie in eine Klasse setzt, und doch muß es geschehen, und ich darf daher die französischen Philosophen des achtzehnten Jahrhunderts und ihre heutigen Nachfolger samt und sonders als Materialisten bezeichnen. „L'homme machine" ist das konsequenteste Buch der französischen Philosophie, und der Titel schon verrät das letzte Wort ihrer ganzen Weltansicht.

Diese Materialisten waren meistens auch Anhänger des Deismus, denn eine Maschine setzt einen Mechanikus voraus, und es gehört zu der höchsten Vollkommenheit dieser ersteren, daß sie die technischen Kenntnisse eines solchen Künstlers, teils an ihrer eigenen Konstruktion, teils an seinen übrigen Werken, zu erkennen und zu schätzen weiß.

Der Materialismus hat in Frankreich seine Mission erfüllt. Er vollbringt jetzt vielleicht dasselbe Werk in England, und auf Locke fußen dort die revolutionären Parteien, namentlich die Benthamisten, die Prädikanten der Utilität. Diese sind gewaltige Geister, die den rechten Hebel ergriffen, womit man John Bull in Bewegung setzen kann. John Bull ist ein geborener Materialist und sein christlicher Spiritualismus ist meistens eine traditionelle Heuchelei oder doch nur materielle Borniertheit — sein Fleisch resigniert sich, weil ihm der Geist nicht zu Hülfe kommt. Anders ist es in Deutschland und die deutschen Revolutionäre irren sich, wenn sie wähnen, daß eine materialistische Philosophie ihren Zwecken günstig sei. Ja, es ist dort gar keine allgemeine Revolution möglich, solange ihre Prinzipien nicht aus einer volkstümlicheren, religiöseren und deutscheren Philosophie deduziert und durch die Gewalt derselben herrschend geworden. Welche Philosophie ist dieses? Wir werden sie späterhin unumwunden besprechen. Ich sage: Unumwunden, denn ich rechne darauf, daß auch Deutsche diese Blätter lesen.

Deutschland hat von jeher eine Abneigung gegen den Materialismus bekundet und wurde deshalb, während an-

derthalb Jahrhunderte, der eigentliche Schauplatz des Idealismus. Auch die Deutschen begaben sich in die Schule des
Descartes, und der große Schüler desselben hieß Gottfried
Wilhelm Leibnitz. Wie Locke die materialistische Richtung, so verfolgte Leibnitz die idealistische Richtung des
Meisters. Hier finden wir am determiniertesten die Lehre
von den angebornen Ideen. Er bekämpfte Locke in seinen
„nouveaux essais sur l'entendement humain". Mit Leibnitz erblühte ein großer Eifer für philosophisches Studium
bei den Deutschen. Er weckte die Geister und lenkte sie in
neue Bahnen. Ob der inwohnenden Milde, ob des religiösen Sinnes, der seine Schriften belebte, wurden auch die
widerstrebenden Geister mit der Kühnheit derselben einigermaßen ausgesöhnt, und die Wirkung war ungeheuer.
Die Kühnheit dieses Denkers zeigt sich namentlich in seiner Monadenlehre, eine der merkwürdigsten Hypothesen,
die je aus dem Haupte eines Philosophen hervorgegangen.
Diese ist auch zugleich das Beste, was er geliefert; denn es
dämmert darin schon die Erkenntnis der wichtigsten Gesetze, die unsere heutige Philosophie erkannt hat. Die
Lehre von den Monaden war vielleicht nur eine unbehülfliche Formulierung dieser Gesetze, die jetzt von den Naturphilosophen in bessern Formeln ausgesprochen worden.
Ich sollte hier eigentlich statt des Wortes „Gesetz" eben
nur „Formel" sagen; denn Newton hat ganz Recht, wenn
er bemerkt, daß dasjenige, was wir Gesetze in der Natur
nennen, eigentlich nicht existiert, und daß es nur Formeln
sind, die unserer Fassungskraft zu Hülfe kommen, um eine
Reihe von Erscheinungen in der Natur zu erklären. Die
„Theodizee" ist in Deutschland von allen Leibnitzischen
Schriften am meisten besprochen worden. Es ist jedoch
sein schwächstes Werk. Dieses Buch, wie noch einige andere Schriften, worin sich der religiöse Geist des Leibnitz
ausspricht, hat ihm manchen bösen Leumund, manche bit-

tere Verkennung zugezogen. Seine Feinde haben ihn der ge-
mütlichsten Schwachköpfigkeit beschuldigt; seine Freunde,
die ihn verteidigten, machten ihn dagegen zu einem pfiffigen
Heuchler. Der Charakter des Leibnitz blieb lange bei uns
ein Gegenstand der Kontroverse. Die Billigsten haben ihn
von dem Vorwurf der Zweideutigkeit nicht freisprechen
können. Am meisten schmähten ihn die Freidenker und
Aufklärer. Wie konnten sie einem Philosophen verzeihen,
die Dreieinigkeit, die ewigen Höllenstrafen, und gar die
Gottheit Christi verteidigt zu haben! So weit erstreckte
sich nicht ihre Toleranz. Aber Leibnitz war weder ein
Tor noch ein Schuft, und von seiner harmonischen Höhe
konnte er sehr gut das ganze Christentum verteidigen. Ich
sage, das ganze Christentum, denn er verteidigte es gegen
das halbe Christentum. Er zeigte die Konsequenz der Orthodoxen im Gegensatze zur Halbheit ihrer Gegner. Mehr
hat er nie gewollt. Und dann stand er auf jenem Indif-
ferenzpunkte, wo die verschiedensten Systeme nur verschiedene Seiten derselben Wahrheit sind. Diesen Indif-
ferenzpunkt hat späterhin auch Herr Schelling erkannt, und
Hegel hat ihn wissenschaftlich begründet, als ein System
der Systeme. In gleicher Weise beschäftigte sich Leibnitz
mit einer Harmonie zwischen Plato und Aristoteles. Auch
in der späteren Zeit ist diese Aufgabe oft genug bei uns
vorgekommen. Ist sie gelöst worden?

Nein, wahrhaftig nein! Denn diese Aufgabe ist eben
nichts anders als eine Schlichtung des Kampfes zwischen
Idealismus und Materialismus. Plato ist durchaus Idealist
und kennt nur angeborene oder vielmehr mitgeborene
Ideen: Der Mensch bringt die Ideen mit zur Welt, und
wenn er derselben bewußt wird, so kommen sie ihm vor
wie Erinnerungen aus einem früheren Dasein. Daher auch
das Vage und Mystische des Plato, er erinnert sich mehr
oder minder klar. Bei Aristoteles hingegen ist alles klar,

G

alles deutlich, alles sicher; denn seine Erkenntnisse offenbaren sich nicht in ihm mit vorweltlichen Beziehungen, sondern er schöpft alles aus der Erfahrung, und weiß alles aufs Bestimmteste zu klassifizieren. Er bleibt daher auch ein Muster für alle Empiriker, und diese wissen nicht genug Gott zu preisen, daß er ihn zum Lehrer des Alexander gemacht, daß er durch dessen Eroberungen so viele Gelegenheiten fand zur Beförderung der Wissenschaft, und daß sein siegender Schüler ihm so viele Tausend Talente gegeben zu zoologischen Zwecken. Dieses Geld hat der alte Magister gewissenhaft verwendet, und er hat dafür eine ehrliche Anzahl von Säugetieren seziert und Vögel ausgestopft, und dabei die wichtigsten Beobachtungen angestellt; aber die große Bestie, die er am nächsten vor Augen hatte, die er selber auferzogen, und die weit merkwürdiger war, als die ganze damalige Weltmenagerie, hat er leider übersehen und unerforscht gelassen. In der Tat, er ließ uns ganz ohne Kunde über die Natur jenes Jünglingkönigs, dessen Leben und Taten wir noch immer als Wunder und Rätsel anstaunen. Wer war Alexander? Was wollte er? War er ein Wahnsinniger oder ein Gott? Noch jetzt wissen wir es nicht. Desto bessere Auskunft gibt uns Aristoteles über babylonische Meerkatzen, indische Papageien und griechische Tragödien, welche er ebenfalls seziert hat.

Plato und Aristoteles! Das sind nicht bloß die zwei Systeme, sondern auch die Typen zweier verschiedenen Menschennaturen, die sich, seit undenklicher Zeit, unter allen Kostümen, mehr oder minder feindselig entgegenstehen. Vorzüglich das ganze Mittelalter hindurch, bis auf den heutigen Tag, wurde solchermaßen gekämpft, und dieser Kampf ist der wesentlichste Inhalt der christlichen Kirchengeschichte. Von Plato und Aristoteles ist immer die Rede, wenn auch unter anderem Namen. Schwärmerische, mystische, platonische Naturen offenbaren aus den Abgründen ihres Gemütes die christlichen Ideen und die entsprechenden Symbole. Praktische, ordnende, aristotelische Naturen bauen aus diesen Ideen und Symbolen ein festes System, eine Dogmatik und einen Kultus. Die Kirche umschließt endlich beide Naturen, wovon die einen sich meistens im Klerus, und die anderen im Mönchstum verschanzen, aber sich unablässig befehden. In der protestantischen Kirche zeigt sich derselbe Kampf, und das ist der Zwiespalt zwischen Pietisten und Orthodoxen, die den katholischen Mystikern und Dogmatikern in einer gewissen Weise entsprechen. Die protestantischen Pietisten sind Mystiker ohne Phantasie, und die protestantischen Orthodoxen sind Dogmatiker ohne Geist.

Diese beiden protestantischen Parteien finden wir in einem erbitterten Kampfe zur Zeit des Leibnitz, und die Philosophie desselben intervenierte späterhin, als Christian Wolf sich derselben bemächtigte, sie den Zeitbedürfnissen anpaßte, und sie, was die Hauptsache war, in deutscher Sprache vortrug. Ehe wir aber von diesem Schüler des Leibnitz, von den Wirkungen seines Strebens und von den späteren Schicksalen des Luthertums ein Weiteres berichten, müssen wir des providentiellen Mannes erwähnen, der gleichzeitig mit Locke und Leibnitz sich in der Schule des Descartes gebildet hatte, lange Zeit nur mit Hohn und Haß betrachtet worden, und dennoch in unseren heutigen Tagen zur alleinigen Geisterherrschaft emporsteigt.

Ich spreche von Benedikt Spinoza.

Ein großer Genius bildet sich durch einen anderen großen Genius, weniger durch Assimilierung als durch Reibung. Ein Diamant schleift den andern. So hat die Philosophie des Descartes keineswegs die des Spinoza hervorgebracht, sondern nur befördert. Daher zunächst finden wir bei dem Schüler die Methode des Meisters; dieses ist ein großer Gewinn. Dann finden wir bei Spinoza, wie bei Descartes,

die der Mathematik abgeborgte Beweisführung. Dieses ist
ein großes Gebrechen. Die mathematische Form gibt dem
Spinoza ein herbes Äußere. Aber dieses ist wie die herbe
Schale der Mandel; der Kern ist um so erfreulicher. Bei
der Lektüre des Spinoza ergreift uns ein Gefühl wie beim
Anblick der großen Natur in ihrer lebendigsten Ruhe. Ein
Wald von himmelhohen Gedanken, deren blühende Wipfel
in wogender Bewegung sind, während die unerschütter-
lichen Baumstämme in der ewigen Erde wurzeln. Es ist ein
gewisser Hauch in den Schriften des Spinoza, der unerklär-
lich. Man wird angeweht wie von den Lüften der Zukunft.
Der Geist der hebräischen Propheten ruhte vielleicht noch
auf ihrem späten Enkel. Dabei ist ein Ernst in ihm, ein
selbstbewußter Stolz, eine Gedankengrandezza, die ebenfalls ein Erbteil zu sein scheint; denn Spinoza gehörte zu
jenen Märtyrerfamilien, die damals von den allerkatholisch-
sten Königen aus Spanien vertrieben worden. Dazu kommt
noch die Geduld des Holländers, die sich ebenfalls, wie im
Leben, so auch in den Schriften des Mannes, niemals verleugnet hat.

Konstatiert ist es, daß der Lebenswandel des Spinoza frei
von allem Tadel war, und rein und makellos wie das Leben
seines göttlichen Vetters, Jesu Christi. Auch wie dieser litt
er für seine Lehre, wie dieser trug er die Dornenkrone.
Überall, wo ein großer Geist seine Gedanken ausspricht, ist
Golgatha.

Teurer Leser, wenn du mal nach Amsterdam kömmst, so
laß dir dort von dem Lohnlakaien die spanische Synagoge
zeigen. Diese ist ein schönes Gebäude, und das Dach ruht
auf vier kolossalen Pfeilern, und in der Mitte steht die Kanzel, wo einst der Bannfluch ausgesprochen wurde über den
Verächter des mosaischen Gesetzes, den Hidalgo Don
Benedikt de Spinoza. Bei dieser Gelegenheit wurde auf
einem Bockshorne geblasen, welches Schofar heißt. Es muß

eine furchtbare Bewandtnis haben mit diesem Horne. Denn
wie ich mal in dem Leben des Salomon Maimon gelesen,
suchte einst der Rabbi von Altona ihn, den Schüler Kants,
wieder zum alten Glauben zurückzuführen, und als derselbe bei seinen philosophischen Ketzereien halsstarrig be-
harrte, wurde er drohend und zeigte ihm den Schofar, mit
den finstern Worten: „Weißt du, was das ist?" Als aber der
Schüler Kants sehr gelassen antwortete: „es ist das Horn
eines Bockes!" da fiel der Rabbi rücklings zu Boden vor
Entsetzen.

Mit diesem Horne wurde die Exkommunikation des
Spinoza akkompagniert, er wurde feierlich ausgestoßen aus
der Gemeinschaft Israels und unwürdig erklärt hinfüro den
Namen Jude zu tragen. Seine christlichen Feinde waren
großmütig genug, ihm diesen Namen zu lassen. Die Juden
aber, die Schweizergarde des Deismus, waren unerbittlich,
und man zeigt den Platz vor der spanischen Synagoge zu
Amsterdam, wo sie einst mit ihren langen Dolchen nach
dem Spinoza gestochen haben.

Ich konnte nicht umhin, auf solche persönliche Miß-
geschicke des Mannes besonders aufmerksam zu machen.
Ihn bildete nicht bloß die Schule, sondern auch das Leben.
Das unterscheidet ihn von den meisten Philosophen, und
in seinen Schriften erkennen wir die mittelbaren Einwir-
kungen des Lebens. Die Theologie war für ihn nicht bloß
eine Wissenschaft. Ebenso die Politik. Auch diese lernte er
in der Praxis kennen. Der Vater seiner Geliebten wurde
wegen politischer Vergehen in den Niederlanden gehenkt.
Und nirgends in der Welt wird man schlechter gehenkt wie
in den Niederlanden. Ihr habt keinen Begriff davon, wie
unendlich viele Vorbereitungen und Zeremonien dabei
stattfinden. Der Delinquent stirbt zugleich vor langer
Weile, und der Zuschauer hat dabei hinlängliche Muße
zum Nachdenken. Ich bin daher überzeugt, daß Benedikt

Spinoza über die Hinrichtung des alten van Ende sehr viel
nachgedacht hat, und so wie er früher die Religion mit
ihren Dolchen begriffen, so begriff er auch jetzt die Politik
mit ihren Stricken. Kunde davon gibt sein „Tractatus
politicus".

Ich habe nur die Art und Weise hervorzuheben, wie die
Philosophen mehr oder minder mit einander verwandt sind,
und ich zeige nur die Verwandtschaftsgrade und die Erb-
folge. Diese Philosophie des Spinoza, des dritten Sohnes
des René Descartes, wie er sie in seinem Hauptwerk, in der
„Ethik", doziert, ist von dem Materialismus seines Bruders
Locke eben so sehr entfernt wie von dem Idealismus seines
Bruders Leibnitz. Spinoza quält sich nicht analytisch mit
der Frage über die letzten Gründe unserer Erkenntnisse.
Er gibt uns seine große Synthese, seine Erklärung von der
Gottheit.

Benedikt Spinoza lehrt: Es gibt nur eine Substanz, das
ist Gott. Diese eine Substanz ist unendlich, sie ist absolut.
Alle endliche Substanzen derivieren von ihr, sind in ihr enthalten, tauchen in ihr auf, tauchen in ihr unter, sie haben
nur relative, vorübergehende, accidentielle Existenz. Die
absolute Substanz offenbart sich uns sowohl unter der Form
des unendlichen Denkens, als auch unter der Form der
unendlichen Ausdehnung. Beides, das unendliche Denken
und die unendliche Ausdehnung sind die zwei Attribute der
absoluten Substanz. Wir erkennen nur diese zwei Attribute; Gott, die absolute Substanz, hat aber vielleicht noch
mehr Attribute, die wir nicht kennen. „Non dico, me deum
omnino cognoscere, sed me quaedam ejus attributa, non
autem omnia, neque maximam intelligere partem".

Nur Unverstand und Böswilligkeit konnten dieser Lehre
das Beiwort „atheistisch" beilegen. Keiner hat sich jemals
erhabener über die Gottheit ausgesprochen wie Spinoza.
Statt zu sagen, er leugne Gott, könnte man sagen, er leugne

den Menschen. Alle endliche Dinge sind ihm nur Modi
der unendlichen Substanz. Alle endliche Dinge sind in
Gott enthalten, der menschliche Geist ist nur ein Licht-
strahl des unendlichen Denkens, der menschliche Leib ist
nur ein Atom der unendlichen Ausdehnung; Gott ist die
unendliche Ursache beider, der Geister und der Leiber,
natura, naturans.

In einem Briefe an Madame Dü Deffand zeigt Voltaire
sich ganz entzückt über einen Einfall dieser Dame, die sich
geäußert hatte, daß alle Dinge, die der Mensch durchaus
nicht wissen könne, sicher von der Art sind, daß ein Wissen
derselben ihm nichts nützen würde. Diese Bemerkung
möchte ich auf jenen Satz des Spinoza anwenden, den ich
oben mit seinen eignen Worten mitgeteilt, und wonach der
Gottheit nicht bloß die zwei erkennbaren Attribute, Denken und Ausdehnung, sondern vielleicht auch andere für
uns unerkennbare Attribute gebühren. Was wir nicht erkennen können, hat für uns keinen Wert, wenigstens keinen
Wert auf dem sozialen Standpunkte, wo es gilt, das im
Geiste erkannte zur leiblichen Erscheinung zu bringen. In
unserer Erklärung des Wesens Gottes nehmen wir daher
Bezug nur auf jene zwei erkennbare Attribute. Und dann
ist ja doch am Ende Alles, was wir Attribute Gottes nennen,
nur eine verschiedene Form unserer Anschauung, und
diese verschiedenen Formen sind identisch in der absoluten
Substanz. Der Gedanke ist am Ende nur die unsichtbare
Ausdehnung und die Ausdehnung ist nur der sichtbare Gedanke. Hier geraten wir in den Hauptsatz der deutschen
Identitätsphilosophie, die in ihrem Wesen durchaus nicht
von der Lehre des Spinoza verschieden ist. Mag immerhin
Herr Schelling dagegen eifern, daß seine Philosophie von
dem Spinozismus verschieden sei, daß sie mehr „eine lebendige Durchdringung des Idealen und Realen" sei, daß
sie sich von dem Spinozismus unterscheide „wie die ausge-

bildeten griechischen Statuen von den starrägyptischen
Originalen": Dennoch muß ich aufs bestimmteste erklären, daß sich Herr Schelling, in seiner früheren Periode,
wo er noch ein Philosoph war, nicht im Geringsten von
Spinoza unterschied. Nur auf einem andern Wege ist er zu
derselben Philosophie gelangt, und das habe ich späterhin
zu erläutern, wenn ich erzähle, wie Kant eine neue Bahn
betritt, Fichte ihm nachfolgt, Herr Schelling wieder in
Fichtes Fußtapfen weiterschreitet, und durch das Wald-
dunkel der Naturphilosophie umherirrend, endlich dem
großen Standbilde Spinozas, Angesicht zu Angesicht, ge-
genübersteht.

Die neuere Naturphilosophie hat bloß das Verdienst, daß
sie den ewigen Parallelismus, der zwischen dem Geiste und
der Materie herrscht, aufs scharfsinnigste nachgewiesen.
Ich sage Geist und Materie, und diese Ausdrücke brauche
ich als gleichbedeutend für das, was Spinoza Gedanken und
Ausdehnung nennt. Gewissermaßen gleichbedeutend ist
auch das, was unsere Naturphilosophen Geist und Natur,
oder das Ideale und das Reale, nennen.

Ich werde in der Folge weniger das System als vielmehr
die Anschauungsweise des Spinoza mit dem Namen Pantheismus bezeichnen. Bei letzterem wird, ebenso gut wie
bei dem Deismus, die Einheit Gottes angenommen. Aber
der Gott des Pantheisten ist in der Welt selbst, nicht indem
er sie mit seiner Göttlichkeit durchdringt, in der Weise, die
einst der heilige Augustin zu veranschaulichen suchte, als
er Gott mit einem großen See und die Welt mit einem
großen Schwamm verglich, der in der Mitte läge und die
Gottheit einsauge: Nein, die Welt ist nicht bloß gottge-
tränkt, gottgeschwängert, sondern sie ist identisch mit
Gott. „Gott", welcher von Spinoza die eine Substanz und
von den deutschen Philosophen das Absolute genannt wird,
„ist alles was da ist", er ist sowohl Materie wie Geist,

beides ist gleich göttlich, und wer die heilige Materie beleidigt, ist ebenso sündhaft, wie der, welcher sündigt gegen den heiligen Geist.

Der Gott des Pantheisten unterscheidet sich also von dem Gotte des Deisten dadurch, daß er in der Welt selbst ist, während letzterer ganz außer, oder was dasselbe ist, über der Welt ist. Der Gott des Deisten regiert die Welt von oben herab, als ein von ihm abgesondertes Etablissement. Nur in Betreff der Art dieses Regierens differenzieren untereinander die Deisten. Die Hebräer denken sich Gott als einen donnernden Tyrannen; die Christen als einen liebenden Vater; die Schüler Rousseaus, die ganze Genfer Schule, denken sich ihn als einen weisen Künstler, der die Welt verfertigt hat, ungefähr wie ihr Papa seine Uhren verfertigt, und als Kunstverständige bewundern sie das Werk und preisen den Meister dort oben.

Dem Deisten, welcher also einen außerweltlichen oder überweltlichen Gott annimmt, ist nur der Geist heilig, indem er letzteren gleichsam als den göttlichen Atem betrachtet, den der Weltschöpfer dem menschlichen Leibe, dem aus Lehm gekneteten Werk seiner Hände eingeblasen hat. Die Juden achteten daher den Leib als etwas Geringes, als eine armselige Hülle des Ruach hakodasch, des heiligen Hauchs, des Geistes, und nur diesem widmeten sie ihre Sorgfalt, ihre Ehrfurcht, ihren Kultus. Sie wurden daher ganz eigentlich *das* Volk des Geistes, keusch, genügsam, ernst, abstrakt, halsstarrig, geeignet zum Martyrtum, und ihre sublimste Blüte ist Jesus Christus. Dieser ist im wahren Sinne des Wortes der inkarnierte Geist, und tiefsinnig bedeutungsvoll ist die schöne Legende, daß ihn eine leiblich unberührte, immakulierte Jungfrau, nur durch geistige Empfängnis, zur Welt gebracht habe.

Hatten aber die Juden den Leib nur mit Geringschätzung betrachtet, so sind die Christen auf dieser Bahn noch weiter

gegangen, und betrachteten ihn als etwas Verwerfliches, als
etwas Schlechtes, als das Übel selbst. Da sehen wir nun,
einige Jahrhunderte nach Christi Geburt, eine Religion
emporsteigen, welche ewig die Menschheit in Erstaunen
setzen, und den spätesten Geschlechtern die schauerlichste
Bewunderung abtrotzen wird. Ja, es ist eine große, heilige,
mit unendlicher Süßigkeit erfüllte Religion, die dem Geiste
auf dieser Erde die unbedingteste Herrschaft erobern wollte.
— Aber diese Religion war eben allzu erhaben, allzu rein,
allzu gut für diese Erde, wo ihre Idee nur in der Theorie
proklamiert, aber niemals in der Praxis ausgeführt werden
konnte. Der Versuch einer Ausführung dieser Idee hat in
der Geschichte unendlich viel herrliche Erscheinungen hervorgebracht, und die Poeten aller Zeiten werden noch lange
davon singen und sagen. Der Versuch, die Idee des Chri-
stenstums zur Ausführung zu bringen, ist jedoch, wie wir
endlich sehen, aufs kläglichste verunglückt, und dieser un-
glückliche Versuch hat der Menschheit Opfer gekostet, die
unberechenbar sind, und trübselige Folge derselben ist unser jetziges soziales Unwohlsein in ganz Europa. Wenn wir
noch, wie viele glauben, im Jugendalter der Menschheit
leben, so gehörte das Christentum gleichsam zu ihren über-
spanntesten Studentenideen, die weit mehr ihrem Herzen
als ihrem Verstande Ehre machen. Die Materie, das Welt-
liche, überließ das Christentum den Händen Cäsars und
seiner jüdischen Kammerknechte, und begnügte sich damit, ersterem die Suprematie abzusprechen und letztere in
der öffentlichen Meinung zu fletrieren — aber siehe! das
gehaßte Schwert und das verachtete Geld erringen dennoch
am Ende die Obergewalt und die Repräsentanten des Geistes müssen sich mit ihnen verständigen. Ja, aus diesem
Verständnis ist sogar eine solidarische Allianz geworden.
Nicht bloß die römischen, sondern auch die englischen, die
preußischen, kurz alle privilegierten Priester haben sich

verbündet mit Cäsar und Konsorten zur Unterdrückung der Völker. Aber durch diese Verbindung geht die Religion des Spiritualismus desto schneller zu Grunde. Zu dieser Einsicht gelangen schon einige Priester, und um die Religion zu retten, geben sie sich das Ansehen, als entsagten sie jener verderblichen Allianz, und sie laufen über in unsere Reihen, sie setzen die rote Mütze auf, sie schwören Tod und Haß allen Königen, den sieben Blutsäufern, sie verlangen die irdische Gütergleichheit, sie fluchen, trotz Marat und Robespierre. — Unter uns gesagt, wenn Ihr sie genau betrachtet, so findet Ihr: Sie lesen Messe in der Sprache des Jakobinismus, und wie sie einst dem Cäsar das Gift beigebracht, versteckt in der Hostie, so suchen sie jetzt dem Volke ihre Hostien beizubringen, indem sie solche in revolutionärem Gifte verstecken; denn sie wissen, wir lieben dieses Gift.

Vergebens jedoch ist all Euer Bemühen! Die Menschheit ist aller Hostien überdrüssig, und lechzt nach nahrhafterer Speise, nach echtem Brot und schönem Fleisch. Die Menschheit lächelt mitleidig über jene Jugendideale, die sie trotz aller Anstrengung nicht verwirklichen konnte, und sie wird männlich praktisch. Die Menschheit huldigt jetzt dem irdischen Nützlichkeitssystem, sie denkt ernsthaft an eine bürgerlich wohlhabende Einrichtung, an vernünftigen Haushalt, und an Bequemlichkeit für ihr späteres Alter. Da ist wahrlich nicht mehr die Rede davon, das Schwert in den Händen des Cäsars, und gar den Säckel in den Händen seiner Knechte zu lassen. Dem Fürstendienst wird die privilegierte Ehre entrissen und die Industrie wird der alten Schmach entlastet. Die nächste Aufgabe ist: Gesund zu werden; denn wir fühlen uns noch sehr schwach in den Gliedern. Die heiligen Vampire des Mittelalters haben uns so viel Lebensblut ausgesaugt. Und dann müssen der Materie noch große Sühnopfer geschlachtet werden, damit sie die alten Beleidigungen verzeihe. Es wäre sogar ratsam, wenn wir Festspiele anordneten, und der Materie noch mehr außerordentliche Entschädigungs-Ehren erwiesen. Denn das Christentum, unfähig die Materie zu vernichten, hat sie überall fletriert, es hat die edelsten Genüsse herabgewürdigt, und die Sinne mußten heucheln und es entstand Lüge und Sünde. Wir müssen unseren Weibern neue Hemden und neue Gedanken anziehen, und alle unsere Gefühle müssen wir durchräuchern, wie nach einer überstandenen Pest.

Der nächste Zweck aller unserer neuen Institutionen ist solchermaßen die Rehabilitation der Materie, die Wiedereinsetzung derselben in ihre Würde, ihre moralische Anerkennung, ihre religiöse Heiligung, ihre Versöhnung mit dem Geiste. Purusa wird wieder vermählt mit Prakriti. Durch ihre gewaltsame Trennung, wie in der indischen Mythe so sinnreich dargestellt wird, entstand die große Weltzerrissenheit, das Übel.

Wißt Ihr nun, was in der Welt das Übel ist? Die Spiritualisten haben uns immer vorgeworfen, daß bei der pantheistischen Ansicht der Unterschied zwischen dem Guten und dem Bösen aufhöre. Das Böse ist aber einesteils nur ein Wahnbegriff ihrer eignen Weltanschauung, anderenteils ist es ein reelles Ergebnis ihrer eigenen Welteinrichtung. Nach ihrer Weltanschauung ist die Materie an und für sich böse, was doch wahrlich eine Verleumdung ist, eine entsetzliche Gotteslästerung. Die Materie wird nur alsdann böse, wenn sie heimlich konspirieren muß gegen die Usurpationen des Geistes, wenn der Geist sie fletriert hat und sie sich aus Selbstverachtung prostituiert, oder wenn sie gar mit Verzweiflungshaß sich an dem Geiste rächt; und somit wird das Übel nur ein Resultat der spiritualistischen Welteinrichtung.

Gott ist identisch mit der Welt. Er manifestiert sich in

den Pflanzen, die ohne Bewußtsein ein kosmischmagnet-
isches Leben führen. Er manifestiert sich in den Tieren,
die in ihrem sinnlichen Traumleben eine mehr oder minder
dumpfe Existenz empfinden. Aber am herrlichsten manifestiert er sich in dem Menschen, der zugleich fühlt und
denkt, der sich selbst individuell zu unterscheiden weiß von
der objektiven Natur, und schon in seiner Vernunft die
Ideen trägt, die sich ihm in der Erscheinungswelt kund
geben. Im Menschen kommt die Gottheit zum Selbstbewußtsein, und solches Selbstbewußtsein offenbart sie wieder durch den Menschen. Aber dieses geschieht nicht in
dem einzelnen und durch den einzelnen Menschen, sondern
in und durch die Gesamtheit der Menschen: So daß jeder
Mensch nur einen Teil des Gott-Welt-Alls auffaßt und dar-
stellt, alle Menschen zusammen aber das ganze Gott-Welt-
All in der Idee und in der Realität auffassen und darstellen
werden. Jedes Volk vielleicht hat die Sendung, einen bestimmten Teil jenes Gott-Welt-Alls zu erkennen und kund
zu geben, eine Reihe von Erscheinungen zu begreifen und
eine Reihe von Ideen zur Erscheinung zu bringen, und das
Resultat den nachfolgenden Völkern, denen eine ähnliche
Sendung obliegt, zu überliefern. Gott ist daher der eigentliche Held der Weltgeschichte, diese ist sein beständiges
Denken, sein beständiges Handeln, sein Wort, seine Tat;
und von der ganzen Menschheit kann man mit Recht sagen,
sie ist eine Inkarnation Gottes!

Es ist eine irrige Meinung, daß diese Religion, der Pantheismus, die Menschen zum Indifferentismus führe. Im
Gegenteil, das Bewußtsein seiner Göttlichkeit wird den
Menschen auch zur Kundgebung derselben begeistern, und
jetzt erst werden die wahren Großtaten des wahren Heroen-
tums diese Erde verherrlichen.

Die politische Revolution, die sich auf die Prinzipien des
französischen Materialismus stützt, wird in den Pantheisten

keine Gegner finden, sondern Gehülfen, aber Gehülfen, die ihre Überzeugungen aus einer tieferen Quelle, aus einer religiösen Synthese, geschöpft haben. Wir befördern das Wohlsein der Materie, das materielle Glück der Völker, nicht weil wir gleich den Materialisten den Geist mißachten, sondern weil wir wissen, daß die Göttlichkeit des Menschen sich auch in seiner leiblichen Erscheinung kund gibt, und das Elend den Leib, das Bild Gottes, zerstört oder aviliert, und der Geist dadurch ebenfalls zu Grunde geht. Das große Wort der Revolution, das Saint-Just ausgesprochen: Le pain est le droit du peuple, lautet bei uns: Le pain est le droit divin de l'homme. Wir kämpfen nicht für die Menschenrechte des Volks, sondern für die Gottesrechte des Menschen. Hierin, und in noch manchen andern Dingen, unterscheiden wir uns von den Männern der Revolution. Wir wollen keine Sanskülotten sein, keine frugale Bürger, keine wohlfeile Präsidenten: Wir stiften eine Demokratie gleichherrlicher, gleichheiliger, gleichbeseligter Götter. Ihr verlangt einfache Trachten, enthaltsame Sitten und ungewürzte Genüsse; wir hingegen verlangen Nektar und Ambrosia, Purpurmäntel, kostbare Wohlgerüche, Wollust und Pracht, lachenden Nymphentanz, Musik und Komödien — Seid deshalb nicht ungehalten, Ihr tugendhaften Republikaner! Auf Eure zensorische Vorwürfe entgegnen wir Euch, was schon ein Narr des Shakespear sagte: Meinst du, weil du tugendhaft bist, solle es auf dieser Erde keine angenehmen Torten und keinen süßen Sekt mehr geben?

Die Saint-Simonisten haben etwas der Art begriffen und gewollt. Aber sie standen auf ungünstigem Boden, und der umgebende Materialismus hat sie niedergedrückt, wenigstens für einige Zeit. In Deutschland hat man sie besser gewürdigt. Denn Deutschland ist der gedeihlichste Boden des Pantheismus; dieser ist die Religion unserer größten Denker, unserer besten Künstler, und der Deismus, wie ich späterhin erzählen werde, ist dort längst in der Theorie gestürzt. Er erhält sich dort nur noch in der gedankenlosen Masse, ohne vernünftige Berechtigung, wie so manches andere. Man sagt es nicht, aber jeder weiß es; der Pantheismus ist das öffentliche Geheimnis in Deutschland. In der Tat, wir sind dem Deismus entwachsen. Wir sind frei und wollen keines donnernden Tyrannen. Wir sind mündig und bedürfen keiner väterlichen Vorsorge. Auch sind wir keine Machwerke eines großen Mechanikus. Der Deismus ist eine Religion für Knechte, für Kinder, für Genfer, für Uhrmacher.

Der Pantheismus ist die verborgene Religion Deutschlands, und daß es dahin kommen würde, haben diejenigen deutschen Schriftsteller vorausgesehen, die schon vor funfzig Jahren so sehr gegen Spinoza eiferten. Der wütendste dieser Gegner Spinozas war Fr. Heinr. Jacobi, dem man zuweilen die Ehre erzeigt, ihn unter den deutschen Philosophen zu nennen. Er war nichts als ein zänkischer Schleicher, der sich in dem Mantel der Philosophie vermummt, und sich bei den Philosophen einschlich, ihnen erst viel von seiner Liebe und weichem Gemüte vorwimmerte und dann auf die Vernunft losschmähte. Sein Refrain war immer: Die Philosophie, die Erkenntnis durch Vernunft, sei eitel Wahn, die Vernunft wisse selbst nicht, wohin sie führe, sie bringe den Menschen in ein dunkles Labyrinth von Irrtum und Widerspruch, und nur der Glaube könne ihn sicher leiten. Der Maulwurf! er sah nicht, daß die Vernunft der ewigen Sonne gleicht, die, während sie droben sicher einherwandelt, sich selber mit ihrem eigenen Lichte ihren Pfad beleuchtet. Nichts gleicht dem frommen, gemütlichen Hasse des kleinen Jacobi gegen den großen Spinoza.

Merkwürdig ist es, wie die verschiedensten Parteien gegen Spinoza gekämpft. Sie bilden eine Armee, deren bunte Zusammensetzung den spaßhaftesten Anblick gewährt. Ne-

ben einem Schwarm schwarzer und weißer Kapuzen, mit
Kreuzen und dampfenden Weihrauchfässern, marschiert
die Phalanx der Enzyklopädisten, die ebenfalls gegen diesen
penseur téméraire eifern. Neben dem Rabbiner der Am-
sterdamer Synagoge, der mit dem Bockshorn des Glaubens
zum Angriff bläst, wandelt Arouet de Voltaire, der mit der
Pickelflöte der Persiflage zum Besten des Deismus musi-
ziert. Dazwischen greint das alte Weib Jacobi, die Marke-
tenderin dieser Glaubensarmee. —

Wir entrinnen so schnell als möglich solchem Charivari.
Zurückkehrend von unserem pantheistischen Ausflug, gelangen wir wieder zur Leibnitzischen Philosophie, und
haben ihre weitern Schicksale zu erzählen.

Leibnitz hatte seine Werke, die Ihr kennt, teils in lateini-
scher, teils in französischer Sprache geschrieben. Christian
Wolf heißt der vortreffliche Mann, der die Ideen des Leib-
nitz nicht bloß systematisierte, sondern auch in deutscher
Sprache vortrug. Sein eigentliches Verdienst besteht nicht
darin, daß er die Ideen des Leibnitz in ein festes System
einschloß, noch weniger darin, daß er sie durch die deutsche
Sprache dem größeren Publikum zugänglich machte: Sein
Verdienst besteht darin, daß er uns anregte, auch in unserer
Muttersprache zu philosophieren. Wie wir bis Luther die
Theologie, so haben wir bis Wolf die Philosophie nur in
lateinischer Sprache zu behandeln gewußt. Das Beispiel
einiger wenigen, die schon vorher dergleichen auf deutsch
vortrugen, blieb ohne Erfolg; aber der Literarhistoriker
muß ihrer mit besonderem Lobe gedenken. Hier erwähnen
wir daher namentlich des Johannes Tauler, eines Dominik-
anermönchs, der zu Anfang des vierzehnten Jahrhunderts
am Rheine geboren, und 1361 eben daselbst, ich glaube zu
Straßburg, gestorben ist. Er war ein frommer Mann und
gehörte zu jenen Mystikern, die ich als die platonische
Partei des Mittelalters bezeichnet habe. In den letzten

Jahren seines Lebens entsagte dieser Mann allem gelehrten Dünkel, schämte sich nicht in der demütigen Volkssprache zu predigen, und diese Predigten, die er aufgezeichnet, sowie auch die deutschen Übersetzungen, die er von einigen seiner früheren lateinischen Predigten mitgeteilt, gehören zu den merkwürdigsten Denkmälern der deutschen Sprache. Denn hier zeigt sie schon, daß sie zu metaphysischen Untersuchungen nicht bloß tauglich, sondern weit geeigneter ist als die lateinische. Diese letztere, die Sprache die Römer, kann nie ihren Ursprung verleugnen. Sie ist eine Kommandosprache für Feldherren, eine Dekretalsprache für Administratoren, eine Justizsprache für Wucherer, eine Lapidarsprache für das steinharte Römervolk. Sie wurde die geeignete Sprache für den Materialismus. Obgleich das Christentum, mit wahrhaft christlicher Geduld, länger als ein Jahrtausend sich damit abgequält diese Sprache zu spiritualisieren, so ist es ihm doch nicht gelungen; und als Johannes Tauler sich ganz versenken wollte in die schauerlichsten Abgründe des Gedankens, und als sein Herz am heiligsten schwoll, da mußte er deutsch sprechen. Seine Sprache ist wie ein Bergquell, der aus harten Felsen hervorbricht, wunderbar geschwängert von unbekanntem Kräuterduft und geheimnisvollen Steinkräften. Aber erst in neurer Zeit ward die Benutzbarkeit der deutschen Sprache für die Philosophie recht bemerklich. In keiner anderen Sprache hätte die Natur ihr geheimstes Wort offenbaren können, wie in unserer lieben deutschen Muttersprache. Nur auf der starken Eiche konnte die heilige Mistel gedeihen. Hier wäre wohl der Ort zur Besprechung des Paracelsus, oder wie er sich nannte, des Theophrastus Paracelsus Bombastus von Hohenheim. Denn auch er schrieb meistens deutsch. Aber ich habe später in einer noch bedeutungsvolleren Beziehung von ihm zu reden. Since Philosophie war nämlich das, was wir heut zu Tage Naturphiloso-

H

phie nennen, und eine solche Lehre von der ideenbelebten Natur, wie sie dem deutschen Geiste so geheimnisvoll zusagt, hätte sich schon damals bei uns ausgebildet, wenn nicht, durch zufälligen Einfluß, die leblose, mechanistische Physik der Cartesianer allgemein herrschend geworden wäre. Paracelsus war ein großer Charlatan, und trug immer einen Scharlachrock, eine Scharlachhose, rote Strümpfe und einen roten Hut, und behauptete homunculi, kleine Menschen, machen zu können, wenigstens stand er in vertrauter Bekanntschaft mit verborgenen Wesen, die in den verschiedenen Elementen hausen — aber er war zugleich einer der tiefsinnigsten Naturkundigen, die mit deutschem Forscherherzen den vorchristlichen Volksglauben, den germanischen Pantheismus begriffen, und was sie nicht wußten, ganz richtig geahnt haben.

Von Jakob Böhm sollte eigentlich auch hier die Rede sein. Denn er hat ebenfalls die deutsche Sprache zu philosophischen Darstellungen benutzt und wird in diesem Betracht sehr gelobt. Aber ich habe mich noch nie entschließen können ihn zu lesen. Ich laß mich nicht gern zum Narren halten. Ich habe nämlich die Lobredner dieses Mystikers in Verdacht, daß sie das Publikum mystifizieren wollen. Was den Inhalt seiner Werke betrifft, so hat Euch ja Saint-Martin einiges davon in französischer Sprache mitgeteilt. Auch die Engländer haben ihn übersetzt. Karl I. hatte von diesem theosophischen Schuster eine so große Idee, daß er eigens einen Gelehrten zu ihm nach Görlitz schickte, um ihn zu studieren. Dieser Gelehrte war glücklicher als sein königlicher Herr. Denn während dieser zu Whitehall den Kopf verlor durch Cromwells Beil, hat jener zu Görlitz, durch Jakob Böhms Theosophie, nur den Verstand verloren.

Wie ich bereits gesagt, erst Christian Wolf hat mit Erfolg die deutsche Sprache in die Philosophie eingeführt.

Sein geringeres Verdienst war sein Systematisieren und sein Popularisieren der Leibnitzischen Ideen. Beides unterliegt sogar dem größten Tadel und wir müssen beiläufig dessen erwähnen. Sein Systematisieren war nur eitel Schein und das wichtigste der Leibnitzischen Philosophie war diesem Scheine geopfert, z. B. der beste Teil der Monadenlehre. Leibnitz hatte freilich kein systematisches Lehrgebäude hinterlassen, sondern nur die dazu nötigen Ideen. Eines Riesen bedurfte es, um die kolossalen Quadern und Säulen zusammenzusetzen, die ein Riese aus den tiefsten Marmorbrüchen hervorgeholt und zierlich ausgemeißelt hatte. Das wär ein schöner Tempel geworden. Christian Wolf jedoch war von sehr untersetzter Statur und konnte nur einen Teil solcher Baumaterialien bemeistern, und er verarbeitete sie zu einer kümmerlichen Stiftshütte des Deismus. Wolf war mehr ein enzyklopädischer Kopf als ein systematischer, und die Einheit einer Lehre begriff er nur unter der Form der Vollständigkeit. Er war zufrieden mit einem gewissen Fachwerk, wo die Fächer schönstens geordnet, bestens gefüllt und mit deutlichen Etiketten versehen sind. So gab er uns eine „Enzyklopädie der philosophischen Wissenschaften". Daß er, der Enkel des Descartes, die großväterliche Form der mathematischen Beweisführung geerbt hat, versteht sich von selbst. Diese mathematische Form habe ich bereits bei Spinoza gerügt. Durch Wolf stiftete sie großes Unheil. Sie degenerierte bei seinen Schülern zum unleidlichsten Schematismus und zur lächerlichen Manie alles in mathematischer Weise zu demonstrieren. Es entstand der sogennante Wolfsche Dogmatismus. Alles tiefere Forschen hörte auf, und ein langweiliger Eifer nach Deutlichkeit trat an dessen Stelle. Die Wolfsche Philosophie wurde immer wäßrigter und überschwemmte endlich ganz Deutschland. Die Spuren dieser Sündflut sind noch heut zu Tage bemerkbar, und hie und da, auf unseren

höchsten Musensitzen, findet man noch alte Fossilien aus
der Wolfschen Schule.

Christian Wolf wurde geboren 1679 zu Breslau und starb
1754 zu Halle. Über ein halbes Jahrhundert dauerte seine
Geistesherrschaft in Deutschland. Sein Verhältnis zu den
Theologen jener Tage müssen wir besonders erwähnen, und
wir ergänzen damit unsere Mitteilungen über die Schicksale des Luthertums.

In der ganzen Kirchengeschichte gibt es keine verwickel-
tere Partie, als die Streitigkeiten der protestantischen Theologen, seit dem dreißigjährigen Krieg. Nur das spitzfün-
dige Gezänke der Byzantiner ist damit zu vergleichen; jedoch war dieses nicht so langweilig, da große, staatsin-
teressante Hofintrigen sich dahinter versteckten, statt daß
die protestantische Klopffechterei meistens in dem Pedan-
tismus enger Magisterköpfe und Schulfüchse ihren Grund
hatte. Die Universitäten, besonders Tübingen, Wittenberg,
Leipzig und Halle, sind die Schauplätze jener theologischen
Kämpfe. Die zwei Parteien, die wir, im katholischen Ge-
wande, während dem ganzen Mittelalter kämpfen sahen, die
platonische und die aristotelische, haben nur Kostüme ge-
wechselt, und befehden sich nach wie vor. Das sind die
Pietisten und die Orthodoxen, deren ich schon oben erwähnt, und die ich als Mystiker ohne Phantasie und Dogmatiker ohne Geist bezeichnet habe. Johannes Spener war
der Scotus Erigena des Protestantismus, und wie dieser
durch seine Übersetzung des fabelhaften Dionysius Areopagita den katholischen Mystizismus begründet, so begründete jener den protestantischen Pietismus, durch seine
Erbauungsversammlungen, colloquia pietatis, woher vielleicht der Namen Pietisten seinen Anhängern geblieben ist.
Er war ein frommer Mann, Ehre seinem Andenken. Ein
Berliner Pietist, Herr Franz Horn, hat eine gute Biographie
von ihm geliefert. Das Leben Speners ist ein beständiges

Martyrtum für die christliche Idee. Er war in diesem Betracht seinen Zeitgenossen überlegen. Er drang auf gute Werke und Frömmigkeit, er war vielmehr ein Prediger des Geistes als des Wortes. Sein homiletisches Wesen war damals löblich. Denn die ganze Theologie, wie sie auf den erwähnten Universitäten gelehrt wurde, bestand nur in engbrüstiger Dogmatik und wortklaubender Polemik. Exegese und Kirchengeschichte wurden ganz bei Seite gesetzt.

Ein Schüler jenes Speners, Hermann Francke, begann in Leipzig Vorlesungen zu halten nach dem Beispiele und im Sinne seines Lehrers. Er hielt sie auf deutsch, ein Verdienst, welches wir immer gern mit Anerkennung erwähnen. Der Beifall, den er dabei erwarb, erregte den Neid seiner Kollegen, die deshalb unserem armen Pietisten das Leben sehr sauer machten. Er mußte das Feld räumen, und er begab sich nach Halle, wo er mit Wort und Tat das Christentum lehrte. Sein Andenken ist dort unverwelklich, denn er ist der Stifter des Halleschen Waisenhauses. Die Universität Halle ward nun bevölkert von Pietisten, und man nannte sie die „Waisenhauspartei". Nebenbei gesagt, diese hat sich dort bis auf heutigen Tag erhalten; Halle ist noch bis jetzt die Taupinière der Pietisten, und ihre Streitigkeiten mit den protestantischen Rationalisten haben noch vor einigen Jahren einen Skandal erregt, der durch ganz Deutschland seinen Mißduft verbreitete. Glückliche Franzosen, die Ihr nichts davon gehört habt! Sogar die Existenz jener evangelischen Klatschblätter, worin die frommen Fischweiber der protestantischen Kirche sich weidlich ausgeschimpft, ist Euch unbekannt geblieben. Glückliche Franzosen, die Ihr keinen Begriff davon habt, wie hämisch, wie kleinlich, wie widerwärtig unsre evangelischen Priester einander begeifern können. Ihr wißt, ich bin kein Anhänger des Katholizismus. In meinen jetzigen religiösen Überzeugungen lebt zwar nicht mehr die Dogmatik, aber doch immer der Geist des Protestantismus. Ich bin also für die protestantische Kirche noch immer parteiisch. Und doch muß ich, der Wahrheit wegen, eingestehen, daß ich nie in den Annalen des Papismus solche Miserabilitäten gefunden habe, wie in der Berliner „evangelischen Kirchenzeitung" bei dem erwähnten Skandal zum Vorschein kamen. Die feigsten Mönchstücken, die kleinlichsten Klosterränke sind noch immer noble Gutmütigkeiten in Vergleichung mit den christlichen Heldentaten, die unsere protestantischen Orthodoxen und Pietisten gegen die verhaßten Rationalisten ausübten. Von dem Haß, der bei solchen Gelegenheiten zum Vorschein kommt, habt Ihr Franzosen keinen Begriff. Die Deutschen sind aber überhaupt vindikativer als die romanischen Völker. Das kommt daher, sie sind Idealisten auch im Haß. Wir hassen uns nicht um Außendinge, wie Ihr, etwa wegen beleidigter Eitelkeit, wegen eines Epigramms, wegen einer nicht erwiderten Visitenkarte, nein, wir hassen bei unsern Feinden das Tiefste, das Wesentlichste, das in ihnen ist, den Gedanken. Ihr Franzosen seid leichtfertig und oberflächlich, wie in der Liebe, so auch im Haß. Wir Deutschen hassen gründlich, dauernd; da wir zu ehrlich, auch zu unbeholfen sind, um uns mit schneller Perfidie zu rächen, so hassen wir bis zu unserem letzten Atemzug.

Ich kenne, mein Herr, diese deutsche Ruhe, sagte jüngst eine Dame, indem sie mich mit großgeöffneten Augen ungläubig und beängstigt ansah; ich weiß, Ihr Deutschen gebraucht dasselbe Wort für Verzeihen und Vergiften. Und in der Tat sie hat Recht, das Wort *Vergeben* bedeutet beides.

Es waren nun, wenn ich nicht irre, die Halleschen Orthodoxen, welche, in ihrem Kampfe mit den eingesiedelten Pietisten, die Wolfsche Philosophie zu Hilfe riefen. Denn die Religion, wenn sie uns nicht mehr verbrennen kann, kommt sie bei uns betteln. Aber alle unsere Gaben bringen ihr schlechten Gewinn. Das mathematische, demonstrative Gewand, womit Wolf die arme Religion recht liebevoll eingekleidet hatte, paßte ihr so schlecht, daß sie sich noch beengter fühlte und in dieser Beengnis sehr lächerlich machte. Überall platzten die schwachen Nähte. Besonders der verschämte Teil, die Erbsünde, trat hervor in seiner grellsten Blöße. Hier half kein logisches Feigenblatt. Christlich lutherische Erbsünde und Leibnitz-Wolfscher Optimismus sind unverträglich. Die französische Persiflage des Optimismus mißfiel daher am wenigsten unseren Theologen. Voltaires Witz kam der nackten Erbsünde zu Gute. Der deutsche Pangloß hat aber, durch die Vernichtung des Optimismus, sehr viel verloren und suchte lange nach einer ähnlichen Trostlehre, bis das Hegelsche Wort „alles was ist, ist vernünftig!" ihm einigen Ersatz bot.

Von dem Augenblick an, wo eine Religion bei der Philosophie Hülfe begehrt, ist ihr Untergang unabwendlich. Sie sucht sich zu verteidigen und schwatzt sich immer tiefer ins Verderben hinein. Die Religion, wie jeder Absolutismus, darf sich nicht justifizieren. Prometheus wird an den Felsen gefesselt von der schweigenden Gewalt. Ja, Äschylus läßt die personifizierte Gewalt kein einziges Wort reden. Sie muß stumm sein. Sobald die Religion einen räsonierenden Katechismus drucken läßt, sobald der politische Absolutismus eine offizielle Staatszeitung herausgibt, haben beide ein Ende. Aber das ist eben unser Triumph, wir haben unsere Gegner zum Sprechen gebracht und sie müssen uns Rede stehn.

Es ist freilich nicht zu leugnen, daß der religiöse Absolutismus, eben so wie der politische, sehr gewaltige Organe seines Wortes gefunden hat. Doch laßt uns darob nicht bange sein. Lebt das Wort, so wird es von Zwergen getra-

gen; ist das Wort tot, so können es keine Riesen aufrecht
erhalten.

Seitdem nun, wie ich oben erzählt, die Religion Hülfe
suchte bei der Philosophie, wurden von den deutschen
Gelehrten, außer der neuen Einkleidung, noch unzählige
Experimente mit ihr angestellt. Man wollte ihr eine neue
Jugend bereiten, und man benahm sich dabei ungefähr wie
Medea bei der Verjüngung des Königs Äson. Zuerst wurde
ihr zur Ader gelassen, alles abergläubische Blut wurde
ihr langsam abgezapft; um mich bildlos auszudrücken: Es
wurde der Versuch gemacht, allen historischen Inhalt aus
dem Christentume herauszunehmen und nur den moralischen Teil zu bewahren. Hierdurch ward nun das Christentum zu einem reinen Deismus. Christus hörte auf Mitre-
gent Gottes zu sein, er wurde gleichsam mediatisiert, und
nur noch als Privatperson fand er anerkennende Verehrung.
Seinen moralischen Charakter lobte man über alle Maßen.
Man konnte nicht genug rühmen, welch ein braver Mensch
er gewesen sei. Was die Wunder betrifft, die er verrichtet,
so erklärte man sie physikalisch, oder man suchte so wenig
Aufhebens als möglich davon zu machen. Wunder, sagten
einige, waren nötig in jenen Zeiten des Aberglaubens, und
ein vernünftiger Mann, der irgend eine Wahrheit zu ver-
kündigen hatte, bediente sich ihrer gleichsam als Annonce.
Diese Theologen, die alles Historische aus dem Christentume schieden, heißen Rationalisten, und gegen diese wen-
dete sich sowohl die Wut der Pietisten als auch der Orthodoxen, die sich seitdem minder heftig befehdeten und nicht
selten verbündeten. Was die Liebe nicht vermochte, das
vermochte der gemeinschaftliche Haß, der Haß gegen die
Rationalisten. Diese Richtung in der protestantischen
Theologie beginnt mit dem ruhigen Semler, den Ihr nicht
kennt, erstieg schon eine besorgliche Höhe mit dem klaren
Teller, den Ihr auch nicht kennt, und erreichte ihren Gip-

fel mit dem seichten Bahrdt, an dessen Bekanntschaft Ihr nichts verliert. Die stärksten Anregungen kamen von Berlin wo, Friedrich der Große und der Buchhändler Nicolai regierten.

Über ersteren, den gekrönten Materialismus, seit Ihr hinlänglich unterrichtet. Ihr wißt, daß er französische Verse machte, sehr gut die Flöte blies, die Schlacht bei Roßbach gewann, viel Tabak schnupfte und nur an Kanonen glaubte. Einige von Euch haben gewiß auch Sanssouci besucht, und der alte Invalide, der dort Schloßwart, hat Euch in der Bibliothek die französischen Romane gezeigt, die Friedrich als Kronprinz in der Kirche las, und die er in schwarzen Maroquin einbinden lassen, damit sein gestrenger Vater glaubte, er läse in einem lutherischen Gesangbuche. Ihr kennt ihn, den königlichen Weltweisen, den Ihr den Salomo des Nordens genannt habt. Frankreich war das Ophir dieses nordischen Salomons, und von dorther erhielt er seine Poeten und Philosophen, für die er eine große Vorliebe hegte, gleich dem Salomo des Südens, welcher wie Ihr im Buche der Könige Kapitel X. lesen könnt, durch seinen Freund Hiram ganze Schiffsladungen von Gold, Elfenbein, Poeten und Philosophen aus Ophir kommen ließ. Wegen solcher Vorliebe für ausländische Talente, konnte nun freilich Friedrich der Große keinen allzu großen Einfluß auf den deutschen Geist gewinnen. Er beleidigte vielmehr, er kränkte das deutsche Nationalgefühl. Die Verachtung, die Friedrich der Große unserer Literatur angedeihen ließ, muß sogar uns Enkel noch verdrießen. Außer dem alten Gellert hatte keiner derselben sich seiner allergnädigsten Huld zu erfreuen. Die Unterredung, die er mit demselben führte, ist merkwürdig.

Hat aber Friedrich der Große uns verhöhnt ohne uns zu unterstützen, so unterstütze uns desto mehr der Buchhändler Nicolai, ohne daß wir deshalb Bedenken trugen, ihn zu

verhöhnen. Dieser Mann war sein ganzes Leben lang unablässig tätig für das Wohl des Vaterlandes, er scheute weder
Mühe noch Geld, wo er etwas Gutes zu befördern hoffte,
und doch ist noch nie in Deutschland ein Mann so grausam, so unerbittlich, so zernichtend verspottet worden, wie
eben dieser Mann. Obgleich wir, die Spätergeborenen,
recht wohl wissen, daß der alte Nicolai, der Freund der Aufklärung, sich in der Hauptsache durchaus nicht irrte; obgleich wir wissen, daß es meistens unsere eignen Feinde,
die Obskuranten, gewesen, die ihn zu Grunde persifliert:
So können wir doch nicht mit ganz ernsthaftem Gesichte an
ihn denken. Der alte Nicolai suchte in Deutschland dasselbe zu tun, was die französischen Philosophen in Frankreich getan: Er suchte die Vergangenheit im Geiste des
Volks zu vernichten; eine löbliche Vorarbeit, ohne welche
keine radikale Revolution stattfinden kann. Aber vergebens, er war solcher Arbeit nicht gewachsen. Die alten
Ruinen standen noch zu fest, und die Gespenster stiegen
daraus hervor und verhöhnten ihn; dann aber wurde er sehr
unwirsch, und schlug blind drein, und die Zuschauer lachten, wenn ihm die Fledermäuse um die Ohren zischten und
sich in seiner wohlgepuderten Perücke verfingen. Auch
geschah es wohl zuweilen, daß er Windmühlen für Riesen
ansah und dagegen focht. Noch schlimmer aber bekam es
ihm, wenn er manchmal wirkliche Riesen für bloße Windmühlen ansah, z. B. einen Wolfgang Goetke. Er schrieb
eine Satire gegen dessen „Werther", worin er alle Intentionen des Autors aufs plumpste verkannte. Indessen in der
Hauptsache hatte er immer Recht; wenn er auch nicht
begriffen, was Goethe mit seinem „Werther" eigentlich
sagen wollte, so begriff er doch ganz gut dessen Wirkung,
die weichliche Schwärmerei, die unfruchtbare Sentimentalität, die durch diesen Roman aufkam und mit jeder vernünftigen Gesinnung, die uns not tat, in feindlichem Wider-

spruch war. Hier stimmte Nicolai ganz überein mit Lessing, der an einen Freund folgendes Urteil über den „Werther" schrieb:

„Wenn ein so warmes Produkt nicht mehr Unheil als Gutes stiften soll: Meinen Sie nicht, daß es noch eine kleine kalte Schlußrede haben müßte? Ein paar Winke hinterher, wie Werther zu einem so abenteuerlichen Charakter gekommen; wie ein anderer Jüngling, dem die Natur eine ähnliche Anlage gegeben, sich davor zu bewahren habe. Glauben Sie wohl, daß je ein römischer oder griechischer Jüngling sich so, und darum, das Leben genommen? Gewiß nicht. Die wußten sich vor der Schwärmerei der Liebe ganz anders zu sichern; und zu Sokrates' Zeiten würde man eine solche ἐξ ἔρωτος κατογη, welche τι τολμαν παρα φυσιν antreibt, nur kaum einem Mädelchen verziehen haben. Solche kleingroße, verächtlich schätzbare Originale hervorzubringen, war nur der christlichen Erziehung vorbehalten, die ein körperliches Bedürfnis so schön in eine geistige Vollkommenheit zu verwandeln weiß. Also, lieber Goethe, noch ein Kapitelchen zum Schlusse; und je zynischer, je besser!"

Freund Nicolai hat nun wirklich, nach solcher Angabe, einen veränderten „Werther" herausgegeben. Nach dieser Version hat sich der Held nicht totgeschossen, sondern nur mit Hühnerblut besudelt; denn statt mit Blei war die Pistole nur mit letzterem geladen. Werther wird lächerlich, bleibt leben, heiratet Charlotte, kurz endet noch tragischer als im Goetheschen Original.

„Die allgemeine deutsche Bibliothek" hieß die Zeitschrift, die Nicolai gegründet, und worin er und seine Freunde gegen Aberglauben, Jesuiten, Hoflakaien u. dgl. kämpften. Es ist nicht zu leugnen, daß mancher Hieb, der dem Aberglauben galt, unglücklicherweise die Poesie selbst traf. So stritt Nicolai z. B. gegen die aufkommende Vor-

liebe für altdeutsche Volkslieder. Aber im Grunde hatte er
wieder Recht; bei aller möglichen Vorzüglichkeit enthielten
doch jene Lieder mancherlei Erinnerungen, die eben nicht
zeitgemäß waren, die alten Klänge der Kuhreigen des Mittelalters, konnten die Gemüter des Volks wieder in den
Glaubensstall der Vergangenheit zurücklocken. Er suchte,
wie Odysseus, die Ohren seiner Gefährten zu verstopfen,
damit sie den Gesang der Sirenen nicht hörten, unbeküm-
mert, daß sie alsdann auch taub wurden für die unschul-
digen Töne der Nachtigall. Damit das Feld der Gegenwart
nur radikal von allem Unkraut gesäubert werde, trug der
praktische Mann wenig Bedenken, auch die Blumen mit
auszureuten. Dagegen erhob sich nun feindlichst die Partei
der Blumen und Nachtigallen, und alles was zu dieser
Partei gehört, Schönheit, Grazie, Witz und Scherz, und der
arme Nicolai unterlag.

In dem heutigen Deutschland haben sich die Umstände
geändert, und die Partei der Blumen und der Nachtigallen
ist eng verbunden mit der Revolution. Uns gehört die
Zukunft, und es dämmert schon herauf die Morgenröte des
Sieges. Wenn einst sein schöner Tag sein Licht über unser
ganzes Vaterland ergießt, dann gedenken wir auch der
Toten; dann gedenken wir gewiß auch deiner, alter Nicolai, armer Märtyrer der Vernunft! wir werden deine Asche
nach dem deutschen Pantheon tragen, der Sarkophag umgeben vom jubelnden Triumphzug und begleitet vom Chor
der Musikanten, unter deren Blasinstrumenten bei Leibe
keine Querpfeife sein wird; wir werden auf deinem Sarg die
anständigste Lorbeerkrone legen, und wir werden uns alle
mögliche Mühe geben, nicht dabei zu lachen.

Da ich von den philosophischen und religiösen Zuständen jener Zeit einen Begriff geben möchte, muß ich hier
auch derjenigen Denker erwähnen, die mehr oder minder
in Gemeinschaft mit Nicolai zu Berlin tätig waren und

gleichsam ein Justemilieu zwischen Philosophen und Belꞏ tristik bildeten. Sie hatten kein bestimmtes System, sondern nur eine bestimmte Tendenz. Sie gleichen den englischen Moralisten in ihrem Stil und in ihren letzten Gründen. Sie schreiben ohne wissenschaftlich strenge Form und das sittliche Bewußtsein ist die einzige Quelle ihrer Erkenntnis. Ihre Tendenz ist ganz dieselbe, die wir bei den französischen Philanthropen finden. In der Religion sind sie Rationalisten. In der Politik sind sie Weltbürger. In der Moral sind sie Menschen, edle, tugendhafte Menschen, streng gegen sich selbst, milde gegen andere. Was Talent betrifft, so mögen wohl Mendelssohn, Sulzer, Abbt, Moritz, Garve, Engel und Biester als die ausgezeichnetsten genannt werden. Moritz ist mir der liebste. Er leistete viel in der Erfahrungsseelenkunde. Er war von einer köstlichen Naivität, wenig verstanden von seinen Freunden. Seine Lebensgeschichte ist eins der wichtigsten Denkmäler jener Zeit. Mendelssohn hat jedoch vor allen übrigen eine große soziale Bedeutung. Er war der Reformator der deutschen Israeliten, seiner Glaubensgenossen, er stürzte das Ansehen des Talmudismus, er begründete den reinen Mosaismus. Dieser Mann, den seine Zeitgenossen den deutschen Sokrates nannten und wegen seines Seelenadels und seiner Geisteskraft so ehrfurchtsvoll bewunderten, war der Sohn eines armen Küsters der Synagoge von Dessau. Außer diesem Geburtsübel hatte ihn die Vorsehung auch noch mit einem Buckel belastet, gleichsam um dem Pöbel in recht greller Weise die Lehre zu geben, daß man den Menschen nicht nach seiner äußern Erscheinung, sondern nach seinem innern Werte schätzen solle. Oder hat ihm die Vorsehung, eben aus gütiger Vorsicht, einen Buckel zugeteilt, damit er manche Unbill des Pöbels einem Übel zuschreibe, worüber ein Weiser sich leicht trösten kann?

Wie Luther das Papsttum, so stürzte Mendelssohn den Talmud, und zwar in derselben Weise, indem er nämlich die Tradition verwarf, die Bibel für die Quelle der Religion erklärte und den wichtigsten Teil derselben übersetzte. Er zerstörte hierdurch den jüdischen, wie Luther den christlichen Katholizismus. In der Tat, der Talmud ist der Katholizismus der Juden. Er ist ein gotischer Dom, der zwar mit kindischen Schnörkeleien überladen, aber doch durch seine himmelkühne Riesenhaftigkeit uns in Erstaunen setzt. Er ist eine Hierarchie von Religionsgesetzen, die oft die putzigsten, lächerlichsten Subtilitäten betreffen, aber so sinnreich einander über- und untergeordnet sind, einander stützen und tragen, und so furchtbar konsequent zusammenwirken, daß sie ein grauenhaft trotziges, kolossales Ganze bilden.

Nach dem Untergang des christlichen Katholizismus mußte auch der jüdische, der Talmud, untergehen. Denn der Talmud hatte alsdann seine Bedeutung verloren; er diente nämlich nur als Schutzwerk gegen Rom, und ihm verdanken es die Juden, daß sie dem christlichen Rom eben so heldenmütig wie einst dem heidnischen Rom widerstehen konnten. Und sie haben nicht bloß widerstanden, sondern auch gesiegt. Der arme Rabbi von Nazareth, über dessen sterbendes Haupt der heidnische Römer die hämischen Worte schrieb: „König der Juden" — eben dieser dornengekrönte, mit dem ironischen Purpur behängte Spottkönig der Juden wurde am Ende der Gott der Römer, und sie mußten vor ihm niederknien! Wie das heidnische Rom wurde auch das christliche Rom besiegt, und dieses wurde sogar tributär. Wenn du, teurer Leser, dich in den ersten Tagen des Trimesters nach der Straße Lafitte verfügen willst, und zwar nach dem Hotel Numero funfzehn, so siehst du dort vor einem hohen Portal eine schwerfällige Kutsche, aus welcher ein dicker Mann hervorsteigt. Dieser begibt sich die Treppe hinauf nach einem kleinen Zimmer, wo ein blonder junger Mensch sitzt, der dennoch älter ist als er wohl aussieht, und in dessen vornehmer grand-seigneurlicher Nonchalance dennoch etwas so Solides liegt, etwas so Positives, etwas so Absolutes, als habe er alles Geld dieser Welt in seiner Tasche. Und wirklich, er hat alles Geld dieser Welt in seiner Tasche, und er heißt Monsieur James de Rothschild, und der dicke Mann ist Monsignor Grimbaldi, Abgesandter Seiner Heiligkeit des Papstes, und er bringt in dessen Namen die Zinsen der römischen An-leihe, den Tribut von Rom.

Wozu jetzt noch der Talmud?

Moses Mendelssohn verdient daher großes Lob, daß er diesen jüdischen Katholizismus, wenigstens in Deutsch-land, gestürzt hat. Denn was überflüssig ist, ist schädlich. Die Tradition verwerfend, suchte er jedoch das mosaische Zeremonialgesetz als religiöse Verpflichtung aufrechtzuer-halten. War es Feigheit oder Klugheit? War es eine weh-mütige Nachliebe die ihn abhielt, die zerstörende Hand an Gegenstände zu legen, die seinen Vorvätern am heiligsten waren, und wofür so viel Märtyrerblut und Märtyrertränen geflossen? Ich glaube nicht. Wie die Könige der Materie, so müssen auch die Könige des Geistes unerbittlich sein gegen Familiengefühle; auch auf dem Throne des Gedan-kens darf man keinen sanften Gemütlichkeiten nachgeben. Ich bin deshalb vielmehr der Meinung, daß Moses Men-delssohn in dem reinen Mosaismus eine Institution sah, die dem Deismus gleichsam als eine letzte Verschanzung dienen konnte. Denn der Deismus war sein innerster Glaube und seine tiefste Überzeugung. Als sein Freund Lessing starb, und man denselben des Spinozismus anklagte, verteidigte er ihn mit dem ängstlichsten Eifer, und er ärgerte sich bei dieser Gelegenheit zu Tode.

Ich habe hier schon zum zweitenmale den Namen ge-

nannt, den kein Deutscher aussprechen kann, ohne daß in
seiner Brust ein mehr oder minder starkes Echo laut wird.
Aber seit Luther hat Deutschland keinen größeren und
besseren Mann hervorgebracht, als Gotthold Ephraim Lessing. Diese beiden sind unser Stolz und unsere Wonne. In
der Trübnis der Gegenwart schauen wir hinauf nach ihren
tröstenden Standbildern und sie nicken eine glänzende Ver-
heißung. Ja, kommen wird auch der dritte Mann, der da
vollbringt, was Luther begonnen, was Lessing fortgesetzt,
und dessen das deutsche Vaterland so sehr bedarf, — der
dritte Befreier! — Ich sehe schon seine goldne Rüstung, die
aus dem purpurnen Kaisermantel hervorstrahlt, ,,wie die
Sonne aus dem Morgenrot!"

Gleich dem Luther wirkte Lessing nicht nur indem er
etwas Bestimmtes tat, sondern indem er das deutsche Volk
bis in seine Tiefen aufregte, und indem er eine heilsame
Geisterbewegung hervorbrachte, durch seine Kritik, durch
seine Polemik. Er war die lebendige Kritik seiner Zeit und
sein ganzes Leben war Polemik. Diese Kritik machte sich
geltend im weitesten Bereiche des Gedankens und des Gefühls, in der Religion, in der Wissenschaft, in der Kunst.
Diese Polemik überwand jeden Gegner und erstarkte nach
jedem Siege. Lessing, wie er selbst eingestand, bedurfte
eben des Kampfes zu der eignen Geistesentwickelung. Er
glich ganz jenem fabelhaften Normann, der die Talente,
Kenntnisse und Kräfte derjenigen Männer erbte, die er im
Zweikampf erschlug, und in dieser Weise endlich mit allen
möglichen Vorzügen und Vortrefflichkeiten begabt war.
Begreiflich ist es, daß solch ein streitlustiger Kämpe nicht
geringen Lärm in Deutschland verursachte, in dem stillen
Deutschland, das damals noch sabbathlich stiller war als
heute. Verblüfft wurden die meisten ob seiner literarischen
Kühnheit. Aber eben diese kam ihm hülfreich zu statten;
denn ,,Oser!" ist das Geheimnis des Gelingens in der Lit-

teratur, ebenso wie in der Revolution — und in der Liebe.
Vor dem Lessingschen Schwerte zitterten alle. Kein Kopf
war vor ihm sicher. Ja, manchen Schädel hat er sogar aus
Übermut heruntergeschlagen, und dann war er dabei noch
so boshaft, ihn vom Boden aufzuheben, und dem Publikum
zu zeigen, daß er inwendig hohl war. Wen sein Schwert
nicht erreichen konnte, den tötete er mit den Pfeilen seines
Witzes. Die Freunde bewunderten die bunten Schwung-
federn dieser Pfeile; die Feinde fühlten die Spitze in ihren
Herzen. Der Lessingsche Witz gleicht nicht jenem En-
jouement, jener Gaîté, jenen springenden Saillies, wie man
hier zu Land dergleichen kennt. Sein Witz war kein kleines
französisches Windhündchen, das seinem eigenen Schatten
nachläuft; sein Witz war vielmehr ein großer deutscher
Kater, der mit der Maus spielt, ehe er sie würgt.

Ja, Polemik war die Lust unseres Lessings, und daher
überlegte er nie lange, ob auch der Gegner seiner würdig
war. So hat er, eben durch seine Polemik, manchen Namen
der wohlverdientesten Vergessenheit entrissen. Mehre win-
zige Schriftstellerlein hat er mit dem geistreichsten Spott,
mit dem köstlichsten Humor gleichsam umsponnen, und in
den Lessingschen Werken erhalten sie sich nun für ewige
Zeiten wie Insekten, die sich in einem Stück Bernstein ver-
fangen. Indem er seine Gegner tötete, machte er sie zugleich unsterblich. Wer von uns hätte jemals etwas von
jenem Klotz erfahren, an welchen Lessing so viel Hohn und
Scharfsinn verschwendet! Die Felsenblöcke, die er auf diesen armen Antiquar geschleudert und womit er ihn zer-
schmettert, sind jetzt dessen unverwüstliches Denkmal.

Merkwürdig ist es, daß jener witzigste Mensch in
Deutschland, auch zugleich der ehrlichste war. Nichts
gleicht seiner Wahrheitsliebe. Lessing machte der Lüge
nicht die mindeste Konzession, selbst wenn er dadurch, in
der gewöhnlichen Weise der Weltklugen, den Sieg der

I

Wahrheit befördern konnte. Er konnte alles für die Wahrheit tun, nur nicht lügen. Wer darauf denkt, sagte er einst,
die Wahrheit unter allerlei Larven und Schminken an den
Mann zu bringen, der möchte wohl gern ihr Kuppler sein,
aber ihr Liebhaber ist er nie gewesen.

Das schöne Wort Buffons „der Stil ist der Mensch selber!" ist auf niemand anwendbarer als auf Lessing. Seine
Schreibart ist ganz wie sein Charakter, wahr, fest, schmuck-
los, schön und imposant durch die inwohnende Stärke. Sein
Stil ist ganz der Stil der römischen Bauwerke: Höchste
Solidität bei der höchsten Einfachheit; gleich Quaderstei-
nen ruhen die Sätze auf einander, und wie bei jenen das
Gesetz der Schwere, so ist bei diesen die logische Schluß-
folge das unsichtbare Bindemittel. Daher in der Lessingschen Prosa so wenig von jenen Füllwörtern und Wen-
dungskünsten, die wir bei unserem Periodenbau gleichsam
als Mörtel gebrauchen. Noch viel weniger finden wir da
jene Gedankenkaryatiden, welche Ihr la belle phrase nennt.

Daß ein Mann wie Lessing niemals glücklich sein konnte
werdet Ihr leicht begreifen. Und wenn er auch nicht die
Wahrheit geliebt hätte, und wenn er sie auch nicht selbst-
willig überall verfochten hätte, so mußte er doch unglücklich sein; denn er war ein Genie. Alles wird man dir verzeihen, sagte jüngst ein seufzender Dichter, man verzeiht
dir deinen Reichtum, man verzeiht dir die hohe Geburt, man verzeiht dir deine Wohlgestalt, man läßt dir
sogar Talent hingehen, aber man ist unerbittlich gegen das
Genie. Ach! und begegnet ihm auch nicht der böse Wille
von außen, so fände das Genie doch schon in sich selber den
Feind, der ihm Elend bereitet. Deshalb ist die Geschichte
der großen Männer immer eine Märtyrerlegende; wenn sie
auch nicht litten für die große Menschheit, so litten sie doch
für ihre eigene Größe, für die große Art ihres Seins, das
Unphilisterliche, für ihr Mißbehagen an der prunkenden

Gemeinheit, der lächelnden Schlechtigkeit ihrer Umgebung, ein Mißbehagen, welches sie natürlich zu Extravaganzen bringt, z. B. zum Schauspielhaus oder gar zum Spielhaus — wie es dem armen Lessing begegnete.

Mehr als dieses hat ihm aber der böse Leumund nicht nachsagen können, und aus seiner Biographie erfahren wir nur, daß ihm schöne Komödiantinnen amüsanter dünkten als hamburgische Pastöre, und daß stumme Karten ihm bessere Unterhaltung gewährten als schwatzende Wolfianer.

Es ist herzzerreißend, wenn wir in dieser Biographie lesen, wie das Schicksal auch jede Freude diesem Manne versagt hat, und wie es ihm nicht einmal vergönnte in der Umfriedung der Familie sich von seinen täglichen Kämpfen zu erholen. Einmal nur schien Fortuna ihn begünstigen zu wollen, sie gab ihm ein geliebtes Weib, ein Kind — aber dieses Glück war wie der Sonnenstrahl, der den Fittich eines vorüberfliegenden Vogels vergoldet, es schwand ebenso schnell, das Weib starb infolge des Wochenbetts, das Kind schon bald nach der Geburt, und über letzteres schrieb er einem Freunde die gräßlich witzigen Worte:

„Meine Freude war nur kurz. Und ich verlor ihn ungern diesen Sohn! Denn er hatte so viel Verstand! so viel Verstand! — Glauben Sie nicht, daß die wenigen Stunden meiner Vaterschaft mich schon zu so einem Affen von Vater gemacht haben! Ich weiß, was ich sage. — War es nicht Verstand, daß man ihn mit eisernen Zangen auf die Welt ziehen mußte? daß er so bald Unrat merkte? — War es nicht Verstand, daß er die erste Gelegenheit ergriff, sich wieder davon zu machen? — Ich wollte es auch einmal so gut haben wie andere Menschen. Aber es ist mir schlecht bekommen."

Ein Unglück gab es, worüber sich Lessing nie gegen seine Freunde ausgesprochen: Dieses war seine schaurige Einsamkeit, sein geistiges Alleinstehn. Einige seiner Zeitgenossen liebten ihn, keiner verstand ihn. Mendelssohn, sein bester Freund, verteidigte ihn mit Eifer, als man ihn des Spinozismus beschuldigte. Verteidigung und Eifer waren ebenso lächerlich wie überflüssig. Beruhige dich im Grabe, alter Moses; dein Lessing war zwar auf dem Wege zu diesem entsetzlichen Irrtum, zu diesem jammervollen Unglück, nämlich zum Spinozismus — aber der Allerhöchste, der Vater im Himmel, hat ihn noch zur rechten Zeit durch den Tod gerettet. Beruhige dich, dein Lessing war kein Spinozist, wie die Verleumdung behauptete; er starb als guter Deist, wie du und Nicolai und Teller und die „allgemeine deutsche Bibliothek"!

Lessing war nur der Prophet, der aus dem zweiten Testamente ins dritte hinüberdeutete. Ich habe ihn den Fortsetzer des Luther genannt und eigentlich in dieser Eigenschaft habe ich ihn hier zu besprechen. Von seiner Bedeutung für die deutsche Kunst kann ich erst später reden. In dieser hat er nicht bloß durch seine Kritik, sondern auch durch sein Beispiel eine heilsame Reform bewirkt, und diese Seite seiner Tätigkeit wird gewöhnlich zumeist hervorgehoben und beleuchtet. Wir jedoch betrachten ihn von einem anderen Standpunkte aus, und seine philosophischen und theologischen Kämpfe sind uns wichtiger als seine Dramaturgie und seine Dramata. Letztere jedoch, wie alle seine Schriften, haben eine soziale Bedeutung, und „Nathan der Weise" ist im Grunde nicht bloß eine gute Komödie, sondern auch eine philosophisch theologische Abhandlung zu Gunsten des reinen Deismus. Die Kunst war für Lessing ebenfalls eine Tribüne, und wenn man ihn von der Kanzel oder vom Katheder herabstieß, dann sprang er aufs Theater, und sprach dort noch viel deutlicher, und gewann ein noch zahlreicheres Publikum.

Ich sage, Lessing hat den Luther fortgesetzt. Nachdem Luther uns von der Tradition befreit, und die Bibel zur

alleinigen Quelle des Christentums erhoben hatte, da entstand, wie ich schon oben erzählt, ein starrer Wortdienst,
und der Buchstabe der Bibel herrschte ebenso tyrannisch
wie einst die Tradition. Zur Befreiung von diesem tyran-
nischen Buchstaben hat nun Lessing am meisten beigetragen. Wie Luther ebenfalls nicht der einzige war, der die
Tradition bekämpft, so kämpfte Lessing zwar nicht allein,
aber doch am gewaltigsten gegen den Buchstaben. Hier
erschallt am lautesten seine Schlachtstimme. Hier schwingt
er sein Schwert am freudigsten, und es leuchtet und tötet.
Hier aber auch wird Lessing am stärksten bedrängt von der
schwarzen Schar, und in solcher Bedrängnis rief er einst
aus:

„O sancta simplicitas! — Aber noch bin ich nicht da, wo
der gute Mann, der dieses ausrief, nur noch dieses ausrufen
konnte. (Huß rief dieses auf dem Scheiterhaufen.) Erst
soll uns hören, erst soll über uns urteilen, wer hören und
urteilen kann und will!

„O daß Er es könnte, Er, den ich am liebsten zu meinem
Richter haben möchte! — Luther, du! — Großer, verkann-
ter Mann! Und von niemanden mehr verkannt, als von den
kurzsichtigen Starrköpfen, die, deine Pantoffeln in der
Hand, den von dir gebahnten Weg, schreiend aber gleichgültig, daherschlendern! — Du hast uns von dem Joche der
Tradition erlöst: Wer erlöset uns von dem unerträglicheren
Joche des Buchstabens! Wer bringt uns endlich ein Christentum, wie du es itzt lehren würdest; wie es Christus selbst
lehren würde!"

Ja, der Buchstabe, sagte Lessing, sei die letzte Hülle des
Christentums, und erst nach Vernichtung dieser Hülle
trete hervor der Geist. Dieser Geist ist aber nichts anders,
als das, was die Wolfschen Philosophen zu demonstrieren
gedacht, was die Philanthropen in ihrem Gemüte gefühlt,
was Mendelssohn im Mosaismus gefunden, was die Frei-

maurer gesungen, was die Poeten gepfiffen, was sich damals in Deutschland unter allen Formen geltend machte: der reine Deismus.

Lessing starb zu Braunschweig, im Jahr 1781, verkannt, gehaßt und verschrien. In demselben Jahre erschien zu Königsberg die „Kritik der reinen Vernunft" von Immanuel Kant. Mit diesem Buche, welches durch sonderbare Verzögerung erst am Ende der achtziger Jahre allgemein bekannt wurde, beginnt eine geistige Revolution in Deutschland, die mit der materiellen Revolution in Frankreich die sonderbarsten Analogien bietet, und dem tieferen Denker ebenso wichtig dünken muß wie jene. Sie entwickelt sich mit denselben Phasen, und zwischen beiden herrscht der merkwürdigste Parallelismus. Auf beiden Seiten des Rheines sehen wir denselben Bruch mit der Vergangenheit, der Tradition wird alle Ehrfurcht aufgekündigt; wie hier in Frankreich jedes Recht, so muß dort in Deutschland jeder Gedanke sich justifizieren, und wie hier das Königtum, der Schlußstein der alten sozialen Ordnung, stürzt dort der Deismus, der Schlußstein des geistigen alten Regimes.

Von dieser Katastrophe, von dem 21. Januar des Deismus, sprechen wir im folgenden Stücke. Ein eigentümliches Grauen, eine geheimnisvolle Pietät erlaubt uns heute nicht, weiter zu schreiben. Unsere Brust ist voll von entsetzlichem Mitleid — es ist der alte Jehova selber, der sich zum Tode bereitet. Wir haben ihn so gut gekannt, von seiner Wiege an, in Ägypten, als er unter göttlichen Kälbern, Krokodilen, heiligen Zwiebeln, Ibissen und Katzen erzogen wurde — Wir haben ihn gesehen, wie er diesen Gespielen seiner Kindheit und den Obelisken und Sphinxen seines heimatlichen Niltals Ade sagte und in Palästina, bei einem armen Hirtenvölkchen, ein kleiner Gott-König wurde, und in einem eigenen Tempelpalast wohnte — Wir sahen ihn späterhin, wie er mit der assyrisch-babylonischen Zivilisation in Berührung kam, und seine allzumenschliche Leidenschaften ablegte, nicht mehr lauter Zorn und Rache spie, wenigstens nicht mehr wegen jeder Lumperei gleich donnerte — Wir sahen ihn auswandern nach Rom, der Hauptstadt, wo er aller Nationalvorurteile entsagte, und die himmlische Gleichheit aller Völker proklamierte, und mit solchen schönen Phrasen gegen den alten Jupiter Opposition bildete, und so lange intrigierte bis er zur Herrschaft gelangte und vom Kapitole herab die Stadt und die Welt, urbem et orbem, regierte — Wir sahen, wie er sich noch mehr vergeistigte, wie er sanftselig wimmerte, wie er ein liebevoller Vater wurde, ein allgemeiner Menschenfreund, ein Weltbeglücker, ein Philanthrop — es konnte ihm alles nichts helfen —

Hört Ihr das Glöckchen klingeln? Kniet nieder — Man bringt die Sakramente einem sterbenden Gotte.

DRITTES BUCH

Es GEHT DIE Sage, daß ein englischer Mechanikus, der schon die künstlichsten Maschinen erdacht, endlich auch auf den Einfall geraten, einen Menschen zu fabrizieren; dieses sei ihm auch endlich gelungen, das Werk seiner Hände konnte sich ganz wie ein Mensch gebärden und betragen, es trug in der ledernen Brust sogar eine Art menschlichen Gefühls, das von den gewöhnlichen Gefühlen der Engländer nicht gar zu sehr verschieden war, es konnte in artikulierten Tönen seine Empfindungen mitteilen, und eben das Geräusch der inneren Räder, Raspeln und Schrauben, das man dann vernahm, gab diesen Tönen eine echtenglische Aussprache; kurz dieses Automat war ein vollendeter Gentleman, und zu einem echten Menschen fehlte ihm gar nichts als eine Seele. Diese aber hat ihm der englische Mechanikus nicht geben können, und das arme Geschöpf, das sich solchen Mangels bewußt worden, quälte nun Tag und Nacht seinen Schöpfer mit der Bitte, ihm eine Seele zu geben. Solche Bitte, die sich immer dringender wiederholte, wurde jenem Künstler endlich so unerträglich, daß er vor seinem eignen Kunstwerk die Flucht ergriff. Das Automat aber nahm gleich Extrapost, verfolgte ihn nach dem Kontinente, reist beständig hinter ihm her, erwischt ihn manchmal, und schnarrt und grunzt ihm dann entgegen: Give me a soul! Diesen beiden Gestalten begegnen wir nun in allen Ländern, und nur wer ihr besonderes Verhältnis kennt, begreift ihre sonderbare Hast und ihren ängstlichen Mißmut. Wenn man aber dieses besondere Verhältnis kennt, so sieht man darin wieder etwas Allgemeines, man sieht, wie ein Teil des englischen Volks se. mechanischen Daseins überdrüssig ist und eine Seele ve. langt, der andere Teil aber aus Angst vor solcherlei Begehrnis in die Kreuz und die Quer getrieben wird, beide aber es daheim nicht mehr aushalten können.

Dieses ist eine grauenhafte Geschichte. Es ist entsetzlich, wenn die Körper, die wir geschaffen haben, von uns eine Seele verlangen. Weit grauenhafter, entsetzlicher, unheimlicher ist es jedoch, wenn wir eine Seele geschaffen und diese von uns ihren Leib verlangt und uns mit diesem Verlangen verfolgt. Der Gedanke, den wir gedacht, ist eine solche Seele, und er läßt uns keine Ruhe bis wir ihm seinen Leib gegeben, bis wir ihn zur sinnlichen Erscheinung gefördert. Der Gedanke will Tat, das Wort will Fleisch werden. Und wunderbar! der Mensch, wie der Gott der Bibel, braucht nur seinen Gedanken auszusprechen, und es gestaltet sich die Welt, es wird Licht oder es wird Finsternis, die Wasser sondern sich von dem Festland, oder gar wilde Bestien kommen zum Vorschein. Die Welt ist die Signatur des Wortes.

Dieses merkt Euch, Ihr stolzen Männer der Tat. Ihr seid nichts als unbewußte Handlanger der Gedankenmänner, die oft in demütigster Stille Euch all Eur Tun aufs Bestimmteste vorgezeichnet haben. Maximilian Robespierre war nichts als die Hand von Jean Jacques Rousseau, die blutige Hand, die aus dem Schoße der Zeit den Leib hervorzog, dessen Seele Rousseau geschaffen. Die unstete Angst, die dem Jean Jacques das Leben verkümmerte, rührte sie vielleicht daher, daß er schon im Geiste ahnte, welch eines Geburtshelfers seine Gedanken bedurften, um leiblich zur Welt zu kommen?

Der alte Fontenelle hatte vielleicht Recht als er sagte: Wenn ich alle Gedanken dieser Welt in meiner Hand trüge, so würde ich mich hüten sie zu öffnen. Ich meinesteils, ich denke anders. Wenn ich alle Gedanken dieser Welt in meiner Hand hätte — ich würde Euch vielleicht bitten, mir die Hand gleich abzuhauen; auf keinen Fall hielte ich sie so lange verschlossen. Ich bin nicht dazu geeignet ein Kerkermeister der Gedanken zu sein. Bei Gott! ich laß sie los. Mögen sie sich immerhin zu den bedenklichsten Erscheinungen verkörpern, mögen sie immerhin, wie ein toller Bacchantenzug, alle Lande durchstürmen, mögen sie mit ihren Thyrsusstäben unsere unschuldigsten Blumen zerschlagen, mögen sie immerhin in unsere Hospitäler hereinbrechen, und die kranke alte Welt aus ihren Betten jagen — es wird freilich mein Herz sehr bekümmern und ich selber werde dabei zu Schaden kommen! Denn ach! ich gehöre ja selber zu dieser kranken alten Welt, und mit Recht sagt der Dichter: Wenn man auch seiner Krücken spottet, so kann man darum doch nicht besser gehen. Ich bin der Krankste von Euch allen und um so bedauernswürdiger, da ich weiß was Gesundheit ist. Ihr aber, Ihr wißt es nicht, Ihr Beneidenswerten! Ihr seid kapabel zu sterben, ohne es selbst zu merken. Ja, viele von Euch sind längst tot und behaupten, jetzt erst beginne ihr wahres Leben. Wenn ich solchem Wahnsinn widerspreche, dann wird man mir gram und schmäht mich — und entsetzlich! die Leichen springen an mich heran, und schimpfen, und mehr noch als ihre Schmähworte belästigt mich ihr Moderduft . . . Fort, Ihr Gespenster! ich sprecht jetzt von einem Manne, dessen Name schon eine exorzierende Macht ausübt, ich spreche von Immanuel Kant!

Man sagt, die Nachtgeister erschrecken, wenn sie das Schwert eines Scharfrichters erblicken — Wie müssen sie erst erschrecken, wenn man ihnen Kants „Kritik der reinen Vernunft" entgegenhält! Dieses Buch ist das Schwert, womit der Deismus hingerichtet worden in Deutschland.

Ehrlich gestanden, Ihr Franzosen, in Vergleichung mit

uns Deutschen seid Ihr zahm und moderant. Ihr habt höchstens einen König töten können, und dieser hatte schon den Kopf verloren, ehe Ihr köpftet. Und dabei mußtet Ihr so viel trommeln und schreien und mit den Füßen trampeln, daß es den ganzen Erdkreis erschütterte. Man erzeigt wirklich dem Maximilian Robespierre zu viel Ehre, wenn man ihn mit dem Immanuel Kant vergleicht. Maximilian Robespierre, der große Spießbürger von der Rue Saint-Honoré, bekam freilich seine Anfälle von Zerstörungswut, wenn es das Königtum galt, und er zuckte dann furchtbar genug in seiner regiziden Epilepsie; aber sobald vom höchsten Wesen die Rede war, wusch er sich den weißen Schaum wieder vom Munde und das Blut von den Händen, und zog seinen blauen Sonntagsrock an, mit den Spiegelknöpfen, und steckte noch obendrein einen Blumenstrauß vor seinen breiten Brustlatz.

Die Lebensgeschichte des Immanuel Kant ist schwer zu beschreiben. Denn er hatte weder Leben noch Geschichte. Er lebte ein mechanisch geordnetes, fast abstraktes Hagestolzenleben, in einem stillen, abgelegenen Gäßchen zu Königsberg, einer alten Stadt an der nordöstlichen Grenze Deutschlands. Ich glaube nicht, daß die große Uhr der dortigen Kathedrale leidenschaftsloser und regelmäßiger ihr äußeres Tagewerk vollbrachte, wie ihr Landsmann Immanuel Kant. Aufstehn, Kaffeetrinken, Schreiben, Kollegienlesen, Essen, Spazierengehn, alles hatte seine bestimmte Zeit, und die Nachbaren wußten ganz genau, daß die Glocke halb vier sei, wenn Immanuel Kant in seinem grauen Leibrock, das spanische Röhrchen in der Hand, aus seiner Haustüre trat, und nach der kleinen Lindenallee wandelte, die man seinetwegen noch jetzt den Philosophengang nennt. Achtmal spazierte er dort auf und ab, in jeder Jahreszeit, und wenn das Wetter trübe war oder die grauen Wolken einen Regen verkündigten, sah man seinen Diener, den alten Lampe, ängstlich besorgt hinter ihm drein wandeln, mit einem langen Regenschirm unter dem Arm, wie ein Bild der Vorsehung.

Sonderbarer Kontrast zwischen dem äußeren Leben des Mannes und seinen zerstörenden, weltzermalmenden Gedanken! Wahrlich, hätten die Bürger von Königsberg die ganze Bedeutung dieses Gedankens geahnt, sie würden vor jenem Manne eine weit grauenhaftere Scheu empfunden haben als vor einem Scharfrichter, vor einem Scharfrichter, der nur Menschen hinrichtet — aber die guten Leute sahen in ihm nichts anderes als einen Professor der Philosophie, und wenn er zur bestimmten Stunde vorbeiwandelte, grüßten sie freundlich, und richteten etwa nach ihn ihre Taschenuhr.

Wenn aber Immanuel Kant, dieser große Zerstörer im Reiche der Gedanken, an Terrorismus den Maximilian Robespierre weit übertraf, so hat er doch mit diesem manche Ähnlichkeiten, die zu einer Vergleichung beider Männer auffordern. Zunächst finden wir in beiden dieselbe unerbittliche, schneidende, poesielose, nüchterne Ehrlichkeit. Dann finden wir in beiden dasselbe Talent des Mißtrauens, nur daß es der eine gegen Gedanken ausübt und Kritik nennt, während der andere es gegen Menschen anwendet und republikanische Tugend betitelt. Im höchsten Grade jedoch zeigt sich in beiden der Typus des Spießbürgertums — die Natur hatte sie bestimmt, Kaffee und Zucker zu wiegen, aber das Schicksal wollte, daß sie andere Dinge abwögen, und legte dem Einen einen König und dem Anderen einen Gott auf die Wagschale. . . .

Und sie gaben das richtige Gewicht!

Die „Kritik der reinen Vernunft" ist das Hauptwerk von Kant, und wir müssen uns vorzugsweise damit beschäftigen. Keine von allen Schriften Kants hat größere Wichtigkeit. Dieses Buch, wie schon erwähnt, erschien 1781, und wurde

erst 1789 allgemein bekannt. Es wurde anfangs ganz übersehen, nur zwei unbedeutende Anzeigen sind damals darüber erschienen, und erst spät wurde durch Artikel von
Schütz, Schultz und Reinhold die Aufmerksamkeit des Publikums auf dieses große Buch geleitet. Die Ursache dieser
verzögerten Anerkenntnis liegt wohl in der ungewöhnlichen
Form und schlechten Schreibart. In Betreff der letztern
verdient Kant größeren Tadel, als irgend ein anderer Philosoph; um so mehr, wenn wir seinen vorhergehenden besseren Stil erwägen. Die kürzlich erschienene Sammlung
seiner kleinen Schriften enthält die ersten Versuche, und
wir wundern uns da über die gute, manchmal sehr witzige
Schreibart. Während Kant im Kopfe schon sein großes
Werk ausarbeitete, hat er diese kleinen Aufsätze vor sich
hingeträllert. Er lächelt da wie ein Soldat, der sich ruhig
waffnet, um in eine Schlacht zu gehen, wo er gewiß zu siegen denkt. Unter jenen kleinen Schriften sind besonders
merkwürdig: ,,Allgemeine Naturgeschichte und Theorie
des Himmels'', geschrieben schon 1755; ,,Beobachtungen
über das Gefühl des Schönen und Erhabenen'', geschrieben
zehn Jahre später, so wie auch ,,Träume eines Geistersehers'', voll guter Laune in der Art der französischen Essais.
Der Witz eines Kant, wie er sich in diesen Schriftchen
äußert, hat etwas höchst Eigentümliches. Der Witz rankt
da an dem Gedanken, und trotz seiner Schwäche erreicht er
dadurch eine erquickliche Höhe. Ohne solche Stütze freilich kann der reichste Witz nicht gedeihen; gleich der
Weinrebe, die eines Stabes entbehrt, muß er alsdann küm-
merlich am Boden hinkriechen und mit seinen kostbarsten
Früchten vermodern.

Warum aber hat Kant seine ,,Kritik der reinen Vernunft''
in einem so grauen, trocknen Packpapierstil geschrieben?
Ich glaube, weil er die mathematische Form der Descartes-
Leibniz-Wolfianer verwarf, fürchtete er, die Wissenschaft

möchte etwas von ihrer Würde einbüßen, wenn sie sich in
einem leichten, zuvorkommend heiteren Tone ausspräche.
Er verlieh ihr daher eine steife, abstrakte Form, die alle
Vertraulichkeit der niederen Geistesklassen kalt ablehnte.
Er wollte sich von den damaligen Popularphilosophen, die
nach bürgerlichster Deutlichkeit strebten, vornehm abson-
dern und er kleidete seine Gedanken in eine hofmännisch
abgekältete Kanzleisprache. Hier zeigt sich ganz der Philister. Aber vielleicht bedurfte Kant zu seinem sorgfältig
gemessenen Ideengang auch einer Sprache, die sorgfältig
gemessener, und er war nicht im Stande, eine bessere zu
schaffen. Nur das Genie hat für den neuen Gedanken auch
das neue Wort. Immanuel Kant war aber kein Genie. Im
Gefühl dieses Mangels, ebenso wie der gute Maximilian,
war Kant um so mißtrauischer gegen das Genie, und in
seiner „Kritik der Urteilskraft" behauptete er sogar, das
Genie habe nichts in der Wissenschaft zu schaffen, seine
Wirksamkeit gehöre in das Gebiet der Kunst.

Kant hat durch den schwerfälligen, steifleinenen Stil
seines Hauptwerks sehr vielen Schaden gestiftet. Denn die
geistlosen Nachahmer äfften ihn nach in dieser Äußerlich-
keit, und es entstand bei uns der Aberglaube, daß man kein
Philosoph sei, wenn man gut schriebe. Die mathematische
Form jedoch konnte, seit Kant, in der Philosophie nicht
mehr aufkommen. Dieser Form hat er in der „Kritik der
reinen Vernunft" ganz unbarmherzig den Stab gebrochen.
Die mathematische Form in der Philosophie, sagte er,
bringe nichts als Kartengebäude hervor, so wie die philosophische Form in der Mathematik nur eitel Geschwätz
hervorbringt. Denn in der Philosophie könne es keine Definitionen geben, wie in der Mathematik, wo die Definitionen
nicht diskursiv, sondern intuitiv sind, d. h. in der Anschauung nachgewiesen werden können; was man Definitionen in der Philosophie nenne, werde nur versuchsweise,

hypothetisch, vorangestellt; die eigentlich richtige Definition erscheine nur am Ende als Resultat.

Wie kommt es, daß die Philosophen so viel Vorliebe für die mathematische Form zeigen? Diese Vorliebe beginnt schon mit Pythagoras, der die Prinzipien der Dinge durch Zahlen bezeichnete. Dieses war ein genialer Gedanke. In einer Zahl ist alles Sinnliche und Endliche abgestreift, und dennoch bezeichnet sie etwas Bestimmtes und dessen Verhältnis zu etwas Bestimmtem, welches letztere, wenn es ebenfalls durch eine Zahl bezeichnet wird, denselben Charakter des Entsinnlichten und Unendlichen angenommen. Hierin gleicht die Zahl den Ideen, die denselben Charakter und dasselbe Verhältnis zu einander haben. Man kann die Ideen, wie sie in unserem Geiste und in der Natur sich kund geben, sehr treffend durch Zahlen bezeichnen; aber die Zahl bleibt doch immer das Zeichen der Idee, nicht die Idee selber. Der Meister bleibt dieses Unterschieds noch bewußt, der Schüler aber vergißt dessen, und überliefert seinen Nachschülern nur eine Zahlenhieroglyphik, bloße Chiffern, deren lebendige Bedeutung niemand mehr kennt, und die man mit Schulstolz nach plappert. Dasselbe gilt von den übrigen Elementen der mathematischen Form. Das Geistige in seiner ewigen Bewegung erlaubt kein Fixieren; eben so wenig wie durch die Zahl läßt es sich fixieren durch Linie, Dreieck, Viereck und Kreis. Der Gedanke kann weder gezählt werden, noch gemessen.

Da es mir hauptsächlich darum zu tun ist, das Studium der deutschen Philosophie in Frankreich zu erleichtern, so bespreche ich immer zumeist diejenigen Äußerlichkeiten, die den Fremden leicht abschrecken, wenn man ihn nicht vorher darüber in Kenntnis gesetzt hat. Literatoren, die den Kant für das französische Publikum bearbeiten wollen, mache ich besonders darauf aufmerksam, daß sie denjenigen Teil seiner Philosophie aussscheiden können, der bloß dazu

dient, die Absurditäten der Wolfschen Philosophie zu bekämpfen. Diese Polemik, die sich überall durchdrängt,
kann bei den Franzosen nur Verwirrung und gar keinen
Nutzen hervorbringen. — Wie ich höre, beschäftigt sich der
Herr Doktor Schön, ein deutscher Gelehrter in Paris, mit
einer französischen Herausgabe des Kant. Ich hege eine zu
günstige Meinung von den philosophischen Einsichten des
Obgenannten, als daß ich es für nötig erachtete obigen
Wink auch an ihn zu richten, und ich erwarte vielmehr von
ihm ein ebenso nützliches wie wichtiges Buch.

Die „Kritik der reinen Vernunft" ist, wie ich bereits gesagt, des Hauptbuch von Kant, und seine übrigen Schriften sind einigermaßen als entbehrlich, oder allenfalls als
Kommentare zu betrachten. Welche soziale Bedeutung
jenem Hauptbuche innewohnt, wird sich aus Folgendem
ergeben.

Die Philosophen vor Kant haben zwar über den Ursprung
unserer Erkenntnisse nachgedacht, und sind, wie wir bereits gezeigt, in zwei verschiedene Wege geraten, je nachdem
sie Ideen a priori oder Ideen a posteriori annahmen; über
das Erkenntnisvermögen selber, über den Umfang unseres
Erkenntnisvermögens, oder über die Grenzen unseres Erkenntnisvermögens ist weniger nachgedacht worden. Dieses
ward nun die Aufgabe von Kant, er unterwarf unser Erkenntnisvermögen einer schonungslosen Untersuchung, er
sondierte die ganze Tiefe dieses Vermögens und kon-
statierte alle seine Grenzen. Da fand er nun freilich, daß
wir gar nichts wissen können von sehr vielen Dingen, mit
denen wir früher in vertrautester Bekanntschaft zu stehen
vermeinten. Das war sehr verdrießlich. Aber es war doch
immer nützlich, zu wissen, von welchen Dingen wir nichts
wissen können. Wer uns vor nutzlosen Wegen warnt, lei-
stet uns einen ebenso guten Dienst, wie derjenige, der uns
den rechten Weg anzeigt. Kant bewies uns, daß wir von

den Dingen, wie sie an und für sich selber sind, nichts wissen, sondern daß wir nur in so fern etwas von ihnen wissen, als sie sich in unserem Geiste reflektieren. Da sind wir nun ganz wie die Gefangenen, wovon Plato, im siebenten Buche vom „Staate", so Betrübsames erzählt: Diese Unglücklichen, gefesselt an Hals und Schenkeln, so daß sie sich mit dem Kopfe nicht herumdrehen können, sitzen in einem Kerker, der oben offen ist und von obenher erhalten sie einiges Licht. Dieses Licht aber kömmt von einem Feuer, welches hinter ihnen oben brennt, und zwar noch getrennt von ihnen durch eine kleine Mauer. Längs dieser Mauer wandeln Menschen, welche allerlei Statuen, Holz- und Steinbilder vorübertragen und mit einander sprechen. Die armen Gefangenen können nun von diesen Menschen, welche nicht so hoch wie die Mauer, gar nichts sehen, und von den vorbeigetragenen Statuen, die über die Mauer hervorragen, sehen sie nur die Schatten, welche sich an der ihnen gegenüberstehenden Wand dahin bewegen; und sie halten nun diese Schatten für die wirklichen Dinge und getäuscht durch das Echo ihres Kerkers, glauben sie, es seien diese Schatten, welche mit einander sprechen.

Die bisherige Philosophie, die schnüffelnd an den Dingen herumlief, und sich Merkmale derselben einsammelte und sie klassifizierte, hörte auf, als Kant erschien, und dieser lenkte die Forschung zurück in den menschlichen Geist und untersuchte, was sich da kund gab. Nicht mit Unrecht vergleicht er daher seine Philosophie mit dem Verfahren des Kopernikus. Früher, als man die Welt stillstehen und die Sonne um dieselbe herumwandeln ließ, wollten die Himmelsberechnungen nicht sonderlich übereinstimmen; da ließ Kopernikus die Sonne still stehen und die Erde um sie herum wandeln, und siehe! Alles ging nun vortrefflich. Früher lief die Vernunft, gleich der Sonne, um die Erscheinungswelt herum und suchte sie zu beleuchten; Kant

K

aber läßt die Vernunft, die Sonne, stillstehen, und die Erscheinungswelt dreht sich um sie herum und wird beleuchtet, je nachdem sie in den Bereich dieser Sonne kömmt.

Nach diesen wenigen Worten, womit ich die Aufgabe Kants angedeutet, ist jedem begreiflich, daß ich denjenigen Abschnitt seines Buches, worin er die sogenannten Phänomena und Noumena abhandelt, für den wichtigsten Teil, für den Mittelpunkt seiner Philosophie halte. Kant macht nämlich einen Unterschied zwischen den Erscheinungen der Dinge und den Dingen an sich. Da wir von den Dingen nur in so weit etwas wissen können, als sie sich uns durch Erscheinung kund geben, und da also die Dinge nicht, wie sie an und für sich selbst sind, sich uns zeigen: So hat Kant die Dinge, in so fern sie erscheinen, Phänomena, und die Dinge an und für sich: Noumena genannt. Nur von den Dingen als Phänomena können wir etwas wissen, nichts aber können wir von den Dingen wissen als Noumena. Letztere sind nur problematisch, wir können weder sagen, sie existieren, noch: Sie existieren nicht. Ja, das Wort Noumen ist nur dem Wort Phänomen nebengesetzt, um von Dingen, in so weit sie uns erkennbar, sprechen zu können, ohne in unserem Urteil die Dinge, die uns nicht erkennbar, zu berühren.

Kant hat also nicht, wie manche Lehrer, die ich nicht nennen will, die Dinge unterschieden in Phänomena und Noumena, in Dinge, welche für uns existieren, und in Dinge, welche für uns nicht existieren. Dieses wäre ein irländischer Bull in der Philosophie. Er hat nur einen Grenzbegriff geben wollen.

Gott ist, nach Kant, ein Noumen. Infolge seiner Argumentation ist jenes transcendentale Idealwesen, welches wir bisher Gott genannt, nichts anders als eine Erdichtung. Es ist durch eine natürliche Illusion entstanden. Ja, Kant zeigt, wie wir von jenem Noumen, von Gott, gar nichts

wissen können, und wie sogar jede künftige Beweisführung
seiner Existenz unmöglich sei. Die Danteschen Worte:
„Laßt die Hoffnung zurück!" schreiben wir über diese
Abteilung der „Kritik der reinen Vernunft".

Ich glaube, man erläßt mir gern die populäre Erörterung
dieser Partie, wo „von den Beweisgründen der spekulativen
Vernunft, auf das Dasein eines höchsten Wesens zu
schließen", gehandelt wird. Obwohl die eigentliche Wider-
legung dieser Beweisgründe nicht viel Raum einnimmt und
erst in der zweiten Hälfte des Buches zum Vorschein
kommt, so ist sie doch schon von vorn herein aufs absicht-
lichste eingeleitet, und sie gehört zu dessen Pointen. Es
knüpft sich daran die „Kritik aller spekulativen Theologie",
und vernichtet werden die übrigen Luftgebilde der Deisten.
Bemerken muß ich, daß Kant, indem er die drei Hauptbeweisarten für das Dasein Gottes, nämlich den ontologischen,
den kosmologischen und den physikotheologischen Beweis
angreift, nach meiner Meinung die zwei letzteren, aber
nicht den ersteren zu Grunde richten kann. Ich weiß nicht,
ob die obigen Ausdrücke hier bekannt sind, und ich gebe
daher die Stelle aus der „Kritik der reinen Vernunft", wo
Kant ihre Unterscheidungen formuliert:

„Es sind nur drei Beweisarten vom Dasein Gottes aus
spekulativer Vernunft möglich. Alle Wege, die man in dieser Absicht einschlagen mag, fangen entweder von der
bestimmten Erfahrung und der dadurch erkannten besonderen Beschaffenheit unserer Sinnenwelt an, und steigen
von ihr nach Gesetzen der Kausalität bis zur höchsten Ursache außer der Welt hinauf; oder sie legen nur unbestimmte
Erfahrung, das ist irgend ein Dasein zum Grunde, oder
sie abstrahieren endlich von aller Erfahrung und schließen
gänzlich a priori aus bloßen Begriffen auf das Dasein einer
höchsten Ursache. Der erste Beweis ist der physikotheo-
logische, der zweite der kosmologische, der dritte ist der

ontologische Beweis. Mehr gibt es ihrer nicht, und mehr kann es ihrer auch nicht geben."

Nach mehrmaligem Durchstudieren des Kantschen Hauptbuchs glaubte ich zu erkennen, daß die Polemik gegen jene bestehenden Beweise für das Dasein Gottes überall hervorlauscht, und ich würde sie weitläuftiger besprechen, wenn mich nicht ein religiöses Gefühl davon abhielte. Schon daß ich jemanden das Dasein Gottes diskutieren sehe, erregt in mir eine so sonderbare Angst, eine so unheimliche Beklemmung, wie ich sie einst in London zu New-Bedlam empfand, als ich, umbegen von lauter Wahnsinnigen, meinen Führer aus den Augen verlor. „Gott ist alles, was da ist", und Zweifel an ihm ist Zweifel an das Leben selbst, es ist der Tod.

So verwerflich auch jede Diskussion über das Dasein Gottes ist, desto preislicher ist das Nachdenken über die Natur Gottes. Dieses Nachdenken ist ein wahrhafter Gottesdienst, unser Gemüt wird dadurch abgezogen vom Vergänglichen und Endlichen, und gelangt zum Bewußtsein der Urgüte und der ewigen Harmonie. Dieses Bewußtsein durchschauert den Gefühlsmenschen im Gebet oder bei der Betrachtung kirchlicher Symbole; der Denker findet diese heilige Stimmung in der Ausübung jener erhabenen Geisteskraft, welche wir Vernunft nennen, und deren höchste Aufgabe es ist, die Natur Gottes zu erforschen. Ganz besonders religiöse Menschen beschäftigen sich mit dieser Aufgabe von Kind auf, geheimnisvoll sind sie davon schon bedrängt, durch die erste Regung der Vernunft. Der Verfasser dieser Blätter ist sich einer solchen frühen, ursprünglichen Religiosität, aufs Freudigste bewußt, und sie hat ihn nie verlassen. Gott war immer der Anfang und das Ende aller meiner Gedanken. Wenn ich jetzt frage: Was ist Gott? was ist seine Natur? so frug ich schon als kleines Kind: Wie ist Gott? wie sieht er aus? Und damals konnte ich

ganze Tage in den Himmel hinaufsehen, und war des
Abends sehr betrübt, daß ich niemals das allerheiligste
Angesicht Gottes, sondern immer nur graue, blöde Wolkenfratzen erblickt hatte. Ganz konfus machten mich die
Mitteilungen aus der Astronomie, womit man damals, in
der Aufklärungsperiode, sogar die kleinsten Kinder nicht
verschonte, und ich konnte mich nicht genug wundern,
daß alle diese tausend Millionen Sterne, eben so große,
schöne Erdkugeln seien, wie die unsrige, und über all dieses
leuchtende Weltengewimmel ein einziger Gott waltete.
Einst im Traume, erinnere ich mich, sah ich Gott, ganz oben
in der weitesten Ferne. Er schaute vergnüglich zu einem
kleinen Himmelsfenster hinaus, ein frommes Greisengesicht mit einem kleinen Judenbärtchen, und er streute eine
Menge Saatkörner herab, die, während sie vom Himmel
niederfielen, im unendlichen Raum gleichsam aufgingen,
eine ungeheure Ausdehnung gewannen, bis sie lauter strahlende, blühende, bevölkerte Welten wurden, jede so groß,
wie unsere eigene Erdkugel. Ich habe dieses Gesicht nie
vergessen können, noch oft im Traume sah ich den heiteren
Alten aus seinem kleinen Himmelsfenster die Weltensaat
herabschütten; ich sah ihn einst sogar mit den Lippen
schnalzen, wie unsere Magd, wenn sie den Hühnern ihr
Gerstenfutter zuwarf. Ich konnte nur sehen wie die fallenden Saatkörner sich immer zu großen leuchtenden Weltkugeln ausdehnten: Aber die etwanigen großen Hühner, die
vielleicht irgendwo mit aufgesperrten Schnäbeln lauerten,
um mit den hingestreuten Weltkugeln gefüttert zu werden,
konnte ich nicht sehen.

Du lächelst, lieber Leser, über die großen Hühner. Diese
kindische Ansicht ist aber nicht allzusehr entfernt von der
Ansicht der reifsten Deisten. Um von dem außerweltlichen
Gott einen Begriff zu geben, haben sich der Orient und der
Occident in kindischen Hyperbeln erschöpft. Mit der Un

dlichkeit des Raumes und der Zeit hat sich aber die
Phantasie der Deisten vergeblich abgequält. Hier zeigt sich
ganz ihre Ohnmacht, die Haltlosigkeit ihrer Weltansicht,
ihrer Idee von der Natur Gottes. Es betrübt uns daher
wenig, wenn diese Idee zu Grunde gerichtet wird. Dieses
Leid aber hat ihnen Kant wirklich angetan, indem er ihre
Beweisführungen von der Existenz Gottes zerstörte.

Die Rettung des ontologischen Beweises käme dem Deismus gar nicht besonders heilsam zu statten, denn dieser
Beweis ist ebenfalls für den Pantheismus zu gebrauchen.
Zu näherem Verständnis bemerke ich, daß der ontologische
Beweis derjenige ist, den Descartes aufstellt, und der schon
lange vorher im Mittelalter, durch Anselm von Canterbury,
in einer ruhenden Gebetform, ausgesprochen worden. Ja,
man kann sagen, daß der heilige Augustin schon im zweiten
Buche „De libero arbitrio" den ontologischen Beweis auf-
gestellt hat.

Ich enthalte mich, wie gesagt, aller popularisierenden
Erörterung der Kantschen Polemik gegen jene Beweise. Ich
begnüge mich zu versichern, daß der Deismus seitdem im
Reiche der spekulativen Vernunft erblichen ist. Diese betrübende Todesnachricht bedarf vielleicht einiger Jahrhunderte, ehe sie sich allgemein verbreitet hat — wir aber haben
längst Trauer angelegt. De profundis!

Ihr meint, wir könnten jetzt nach Hause gehn? Bei
Leibe! es wird noch ein Stück aufgeführt. Nach der Tragö-
die kommt die Farce. Immanuel Kant hat bis hier den
unerbittlichen Philosophen traziert, er hat den Himmel ge-
stürmt, er hat die ganze Besatzung über die Klinge springen
lassen, der Oberherr der Welt schwimmt unbewiesen in
seinem Blute, es gibt jetzt keine Allbarmherzigkeit mehr,
keine Vatergüte, keine jenseitige Belohnung für diesseitige
Enthaltsamkeit, die Unsterblichkeit der Seele liegt in den
letzten Zügen — das röchelt, das stöhnt — und der alte

Lampe steht dabei mit seinem Regenschirm unterm Arm, als betrübter Zuschauer, und Angstschweiß und Tränen rinnen ihm vom Gesichte. Da erbarmt sich Immanuel Kant und zeigt, daß er nicht bloß ein großer Philosoph, sondern auch ein guter Mensch ist, und er überlegt, und halb gutmütig und halb ironisch spricht er: „Der alte Lampe muß einen Gott haben, sonst kann der arme Mensch nicht glücklich sein — der Mensch soll aber auf der Welt glücklich sein — das sagt die praktische Vernunft — meinetwegen — so mag auch die praktische Vernunft die Existenz Gottes verbürgen". In Folge dieses Arguments unterscheidet Kant zwischen der theoretischen Vernunft und der praktischen Vernunft, und mit dieser, wie mit einem Zauberstäbchen, belebte er wieder den Leichnam des Deismus, den die theoretische Vernunft getötet.

Hat vielleicht Kant die Resurrektion nicht bloß des alten Lampe wegen, sondern auch der Polizei wegen unternommen? Oder hat er wirklich aus Überzeugung gehandelt? Hat er eben dadurch, daß er alle Beweise für das Dasein Gottes zerstörte, uns recht zeigen wollen, wie mißlich es ist, wenn wir nichts von der Existenz Gottes wissen können? Er handelte da fast ebenso weise, wie mein westfälischer Freund, welcher alle Laternen auf der Grohnderstraße zu Göttingen zerschlagen hatte, und uns nun dort, im Dunkeln stehend, eine lange Rede hielt über die praktische Notwendigkeit der Laternen, welche er nur deshalb theoretisch zerschlagen habe, um uns zu zeigen, wie wir ohne dieselben nichts sehen können.

Ich habe schon früher erwähnt, daß die „Kritik der reinen Vernunft", bei ihrem Erscheinen, nicht die geringste Sensation gemacht. Erst mehre Jahre später, als einige scharfsinnige Philosophen Erläuterungen über dieses Buch geschrieben, erregte es die Aufmerksamkeit des Publikums, und im Jahre 1789 war in Deutschland von nichts mehr die

Rede als von Kantscher Philosophie, und sie hatte schon in Hülle und Fülle ihre Kommentare, Chrestomathien, Erklärungen, Beurteilungen, Apologien usw. Man braucht nur einen Blick auf den ersten besten philosophischen Katalog zu werfen, und die Unzahl von Schriften, die damals über Kant erschienen, zeugt hinreichend von der geistigen Bewegung, die von diesem einzigen Manne ausging. Bei dem Einen zeigte sich ein schäumender Enthusiasmus, bei dem andern eine bittere Verdrießlichkeit, bei vielen eine glotzende Erwartung über den Ausgang dieser geistigen Revolution. Wir hatten Emeuten in der geistigen Welt ebenso gut wie Ihr in der materiellen Welt, und bei dem Niederreißen des alten Dogmatismus echauffierten wir uns ebenso sehr wie Ihr beim Sturm der Bastille. Es waren freilich ebenfalls nur ein paar alte Invaliden, welche den Dogmatismus, das ist die Wolfsche Philosophie, verteidigten. Es war eine Revolution, und es fehlte nicht an Greuel. Unter der Partei der Vergangenheit waren die eigentlichen guten Christen über jene Greuel am wenigsten ungehalten. Ja, sie wünschten noch schlimmere Greuel, damit sich das Maß fülle und die Contrerevolution desto schneller als notwendige Reaktion stattfinde. Es gab bei uns Pessimisten in der Philosophie wie bei Euch in der Politik. Manche unserer Pessimisten gingen in der Selbstverblendung so weit, daß sie sich einbildeten, Kant sei mit ihnen in einem geheimen Einverständnis und habe die bisherigen Beweise für das Dasein Gottes nur deshalb zerstört, damit die Welt einsehe, daß man durch die Vernunft nimmermehr zur Erkenntnis Gottes gelange, und daß man sich also hier an der geoffenbarten Religion halten müsse.

Diese große Geisterbewegung hat Kant nicht sowohl durch den Inhalt seiner Schriften hervorgebracht, als vielmehr durch den kritischen Geist, der darin waltete, und der sich jetzt in alle Wissenschaften eindrängte. Alle Diszip-

linen wurden davon ergriffen. Ja, sogar die Poesie blieb
nicht verschont von ihrem Einfluß. Schiller z. B. war ein
gewaltsamer Kantianer und seine Kunstansichten sind geschwängert von dem Geist der Kantschen Philosophie. Der
schönen Literatur und den schönen Künsten wurde diese
Kantsche Philosophie, wegen ihrer abstrakten Trockenheit,
sehr schädlich. Zum Glück mischte sie sich nicht in die
Kochkunst.

Das deutsche Volk läßt sich nicht leicht bewegen, ist es
aber einmal in irgend eine Bahn hineinbewegt, so wird es
dieselbe mit beharrlichster Ausdauer bis ans Ende verfolgen. So zeigten wir uns in den Angelegenheiten der Religion. So zeigten wir uns nun auch in der Philosophie. Werden wir uns eben so konsequent weiterbewegen in der
Politik?

Deutschland war durch Kant in die philosophische Bahn
hineingezogen, und die Philosophie ward eine National-
sache. Eine schöne Schar großer Denker sproßte plötzlich
aus dem deutschen Boden wie hervorgezaubert. Wenn
einst, gleich der französischen Revolution, auch die deutsche
Philosophie ihren Thiers und ihren Mignet findet, so wird
die Geschichte derselben eine ebenso merkwürdige Lektüre
bieten, und der Deutsche wird sie mit Stolz und der Franzose wird sie mit Bewunderung lesen.

Unter den Schülern Kants ragte schon früher hervor
Johann Gottlieb Fichte.

Ich verzweifle fast, von der Bedeutung dieses Mannes
einen richtigen Begriff geben zu können. Bei Kant hatten
wir nur ein Buch zu betrachten. Hier aber kommt außer
dem Buche auch ein Mann in Betrachtung; in diesem
Manne sind Gedanke und Gesinnung eins, und insolcher
großartigen Einheit, wirken sie auf die Mitwelt. Wir haben
daher nicht bloß eine Philosophie zu erörtern, sondern auch
einen Charakter, durch den sie gleichsam bedingt wird,

und um beider Einfluß zu begreifen, bedürfte es auch wohl einer Darstellung der damaligen Zeitverhältnisse. Welche weitreichende Aufgabe! Vollauf sind wir gewiß entschuldigt, wenn wir hier nur dürftige Mitteilungen bieten.

Schon über den Fichteschen Gedanken ist sehr schwer zu berichten. Auch hier stoßen wir auf eigentümliche Schwierigkeiten. Sie betreffen nicht bloß den Inhalt, sondern auch die Form und die Methode; beides Dinge, womit wir den Ausländer gern zunächst bekannt machen. Zuerst also über die Fichtesche Methode. Diese ist anfänglich ganz dem Kant entlehnt. Bald aber ändert sich diese Methode durch die Natur des Gegenstandes. Kant hatte nämlich nur eine Kritik, also etwas Negatives, Fichte aber hatte späterhin ein System, folglich etwas Positives aufzustellen. Wegen jenes Mangels an einem festen System, hat man der Kantschen Philosophie manchmal den Titel „Philosophie" absprechen wollen. In Beziehung auf Immanuel Kant selber hatte man Recht, keineswegs aber in Beziehung auf die Kantianer, die aus Kants Sätzen eine hinlängliche Anzahl von festen Systemen zusammengebaut. In seinen früheren Schriften bleibt Fichte, wie gesagt, der Kantschen Methode ganz treu, so daß man seine erste Abhandlung als sie anonym erschien, für ein Werk von Kant halten konnte. Da Fichte aber später ein System aufstellt, so gerät er in ein eifriges, gar eigensinniges Konstruieren, und wenn er die ganze Welt konstruiert hat, so beginnt er eben so eifrig und eigensinnig von oben bis unten herab seine Konstruktionen zu demonstrieren. In diesem Konstruieren und Demonstrieren bekundet Fichte eine so zu sagen abstrakte Leidenschaft. Wie in seinem System selbst, so herrscht bald die Subjektivität auch in seinem Vortrag. Kant hingegen legt den Gedanken vor sich hin, und seziert ihn, und zerlegt ihn in seine feinsten Fasern, und seine „Kritik der reinen

Vernunft" ist gleichsam das anatomische Theater des Geistes. Er selber bleibt dabei kalt, gefühllos, wie ein echter Wundarzt.

Wie die Methode so auch die Form der Fichteschen Schriften. Sie ist lebendig, aber sie hat auch alle Fehler des Lebens: Sie ist unruhig und verwirrsam. Um recht lebendig zu bleiben, verschmäht Fichte die gewöhnliche Terminologie der Philosophen, die ihm etwas Totes dünkt; aber wir geraten dadurch noch viel weniger zum Verständnis. Er hat überhaupt über Verständnis ganz eigene Grillen. Als Reinhold mit ihm gleicher Meinung war, erklärte Fichte, daß ihn niemand besser verstehe wie Reinhold. Als dieser aber später von ihm abwich, erklärte Fichte: Er habe ihn nie verstanden. Als er mit Kant differenzierte, ließ er drucken: Kant verstehe sich selber night. Ich berühre hier überhaupt die komische Seite unserer Philosophen. Sie klagen beständig über Nicht verstandenwerden. Als Hegel auf dem Todbette lag, sagte er: „Nur Einer hat mich verstanden", aber gleich darauf fügte er verdrießlich hinzu: „Und der hat mich auch nicht verstanden".

In Betreff ihres Inhalts an und für sich hat die Fichtesche Philosophie keine große Bedeutung. Sie hat der Gesellschaft keine Resultate geliefert. Nur in so fern sie eine der merkwürdigsten Phasen der deutschen Philosophie überhaupt ist, nur in so fern sie die Unfruchtbarkeit des Idealismus in seiner letzten Konsequenz beurkundet, und nur in so fern sie den notwendigen Übergang zur heutigen Naturphilosophie bildet, ist der Inhalt der Fichteschen Lehre von einigem Interesse. Da dieser Inhalt also mehr historisch und wissenschaftlich als sozial wichtig ist, will ich ihn nur mit den kürzesten Worten andeuten.

Die Aufgabe, welche sich Fichte stellt, ist: Welche Gründe haben wir, anzunehmen, daß unseren Vorstellungen von Dingen auch Dinge außer uns entsprechen? Und dieser Frage gibt er die Lösung: Alle Dinge haben Realität nur in unserem Geiste.

Wie die „Kritik der reinen Vernunft" das Hauptbuch von Kant, so ist die „Wissenschaftslehre" das Hauptbuch von Fichte. Dieses Buch ist gleichsam eine Fortsetzung des ersteren. Die Wissenschaftslehre verweist den Geist ebenfalls in sich selbst. Aber wo Kant analysiert, da konstruiert Fichte. Die Wissenschaftslehre beginnt mit einer abstrakten Formel (Ich = Ich), sie erschafft die. Welt hervor aus der Tiefe des Geistes, sie fügt die zersetzten Teile wieder zusammen, sie macht den Weg der Abstraktion zurück, bis sie zur Erscheinungswelt gelangt. Diese Erscheinungswelt kann alsdann der Geist für notwendige Handlungen der Intelligenz erklären.

Bei Fichte ist noch die besondere Schwierigkeit, daß er dem Geiste zumutet, sich selber zu beobachten, während er tätig ist. Das Ich soll über seine intellektuellen Handlungen Betrachtungen anstellen während es sie ausführt. Der Gedanke soll sich selber belauschen, während er denkt, während er allmählich warm und wärmer und endlich gar wird. Diese Operation mahnt uns an den Affen, der am Feuerherde vor einem kupfernen Kessel sitzt und seinen eigenen Schwanz kocht. Denn er meinte: Die wahre Kochkunst besteht nicht darin, daß man bloß objectiv kocht, sondern auch subjektiv des Kochens bewuß wird.

Es ist ein eigener Umstand, daß die Fichtesche Philosophie immer viel von der Satire auszustehen hatte. Ich sah mal eine Karikatur, die eine Fichtesche Gans vorstellt. Sie hat eine so große Leber, daß sie nich mehr weiß, ob sie die Gans oder ob sie die Leber ist. Auf ihrem Bauch steht: Ich = Ich. Jean Paul hat die Fichtesche Philosophie aufs heilloseste persifliert in einem Buche, betitelt „Clavis Fichteana". Daß der Idealismus in seiner konsequenten Durchführung am Ende gar die Realität der Materie leugnete, das erschien dem großen Publikum als ein Spaß, der zu weit getrieben. Wir mokierten uns nicht übel über das Fichtesche Ich, welches die ganze Erscheinungswelt durch sein bloßes Denken produzierte. Unseren Spöttern kam dabei ein Mißverständnis zu statten, das zu populär geworden, als daß ich es unerwähnt lassen dürfte. Der große Haufe meinte nämlich, das Fichtesche Ich, das sei das Ich von Johann Gottlieb Fichte, und dieses individuelle Ich leugne alle anderen Existenzen. Welche Unverschämtheit! riefen die guten Leute, dieser Mensch glaubt nicht, daß wir existieren, wir die wir weit korpulenter als er und als Bürgermeister und Amtsaktuare sogar seine Vorgesetzten sind! Die Damen fragten: Glaubt er nicht wenigstens an die Existenz seiner Frau? Nein? Und das läßt Madame Fichte so hingehn?

Das Fichtesche Ich ist aber kein individuelles Ich, sondern das zum Bewußtsein gekommene allgemeine Welt-Ich. Das Fichtesche Denken ist nicht das Denken eines Individuums, eines bestimmten Menschen, der Johann Gottlieb Fichte heißt; es ist vielmehr ein allgemeines Denken, das sich in einem Individuum manifestiert. So wie man sagt: Es regnet, es blitzt usw., so sollte auch Fichte nicht sagen: „Ich denke", sondern: „Es denkt", „das allgemeine Weltdenken denkt in mir".

Bei einer Vergleichung der französischen Revolution mit der deutschen Philosophie, habe ich einst, mehr aus Scherz als im Ernste, den Fichte mit Napoleon verglichen. Aber, in der Tat, es bieten sich hier bedeutsame Ähnlichkeiten. Nachdem die Kantianer ihr terroristisches Zerstörungswerk vollbracht, erscheint Fichte, wie Napoleon erschienen, nachdem die Konvention ebenfalls mit einer reinen Vernunftkritik die ganze Vergangenheit niedergerissen hatte. Napoleon und Fichte repräsentieren das große unerbittliche Ich, bei welchem Gedanke und Tat eins sind, une die kolos-

salen Gebäude, welche beide zu konstruieren wissen, zeugen
von einem kolossalen Willen. Aber durch die Schranken-
losigkeit dieses Willens gehen jene Gebäude gleich wieder
zu Grunde, und die Wissenschaftslehre, wie das Kaiserreich, zerfallen und verschwinden eben so schnell, wie sie
entstanden.

Das Kaiserreich gehört nur noch der Geschichte, aber
die Bewegung, welche der Kaiser in der Welt hervorgebracht, ist noch immer nicht gestillt und von dieser Bewegung lebt noch unsere Gegenwart. So ist es auch mit der
Fichteschen Philosophie. Sie ist ganz untergegangen, aber
die Geister sind noch aufgeregt von den Gedanken, die
durch Fichte laut geworden, und unberechenbar ist die
Nachwirkung seines Wortes. Wenn auch der ganze Transzendental-Idealismus ein Irrtum war, so lebte doch in den
Fichteschen Schriften eine stolze Unabhängigkeit, eine
Freiheitsliebe, eine Manneswürde, die besonders auf die
Jugend einen heilsamen Einfluß übte. Fichtes Ich war ganz
übereinstimmend mit seinem unbeugsamen, hartnäckigen,
eisernen Charakter. Die Lehre von einem solchen allmäch-
tigen Ich konnte vielleicht nur einem solchen Charakter
entsprießen, und ein solcher Charakter mußte, zurückwur-
zelnd in eine solche Lehre, noch unbeugsamer werden, noch
hartnäckiger, noch eiserner.

Wie mußte dieser Mann den gesinnungslosen Skeptikern,
den frivolen Eklektikern und den Moderanten von allen
Farben ein Greul sein! Sein ganzes Leben war ein bestän-
diger Kampf. Seine Jugendgeschichte ist eine Reihe von
Kümmernissen, wie bei fast allen unseren ausgezeichneten
Männern. Armut sitzt an ihrer Wiege und schaukelt sie
groß, und diese magere Amme bleibt ihre treue Lebensge-
fährtin.

Nichts ist rührender als den willenstolzen Fichte zu sehen, wie er sich durch Hofmeisterei in der Welt durchzu-

quälen sucht. Solches klägiche Dienstbrot kann er nicht
einmal in der Heimat finden, und er muß nach Warschau
wandern. Dort die alte Geschichte. Der Hofmeister miß-
fällt der gnädigen Frau, oder vielleicht gar der ungnädigen
Kammerjungfer. Seine Kratzfüße sind nicht fein genug,
nicht französisch genug, und er wird nicht mehr würdig
befunden, die Erziehung eines kleinen polnischen Junkers
zu leiten. Johann Gottlieb Fichte wird abgeschafft wie ein
Lakai, erhält von der mißvergnügten Herrschaft kaum einen
dürftigen Zehrpfennig, verläßt Warschau und wandert nach
Königsberg, in jugendlichem Enthusiasmus, um Kant kennen zu lernen. Das Zusammentreffen dieser beiden Männer ist in jeder Hinsicht interessant, und ich glaube beider
Weise und Zustände nicht besser veranschaulichen zu können, als indem ich ein Fragment aus Fichtes Tagebuch mitteile, das in einer Biographie desselben, die sein Sohn un-
längst herausgegeben, enthalten ist:

„Am fünfundzwanzigsten Juni ging ich nach Königsberg
ab mit einem Fuhrmann von dorther, und traf ohne besondere Fährlichkeiten am 1. Juli daselbst ein. — Den vierten,
Kant besucht, der mich indes nicht sonderlich aufnahm:
Ich hospitierte bei ihm, und fand auch da meein Erwart-
ungen nicht befriedigt. Sein Vortrag ist schläfrig. Unterdes
schrieb ich dies Tagebuch. —"

„— Schon lange wollte ich Kant ernsthafter besuchen,
fand aber kein Mittel. Endlich fiel ich darauf, eine „Kritik
aller Offenbarungen" zu schreiben, und sie ihm statt einer
Empfehlung zu überreichen. Ich fing ungefähr den dreizehnten damit an, und arbeitete seitdem ununterbrochen
fort. — Am achtzehnten August überschickte ich endlich
die nun fertig gewordene Arbeit an Kant, und ging den
dreiundzwanzigsten hin, um sein Urteil darüber zu hören.
Er empfing mich mit ausgezeichneter Güte, und schien sehr
wohl mit der Abhandlung zufrieden. Zu einem näheren

wissenschaftlichen Gespräche kam es nicht; wegen meiner philosophischen Zweifel verwies er mich an seine „Kritik der reinen Vernunft", und an den Hofprediger Schultz, den ich sofort aufsuchen werde. — Am sechsundzwanzigsten speiste ich bei Kant, in Gesellschaft des Professor Sommer; und fand einen sehr angenehmen, geistreichen Mann an Kant; erst jetzt erkannte ich Züge in ihm, die des großen in seinen Schriften niedergelegten Geistes würdig sind."

„Den siebenundzwanzigsten endigte ich dies Tagebuch, nachdem ich vorher schon die Exzerpte aus den Kantschen Vorlesungen über Anthropologie, welche mir Herr v. S. geliehen, beendigt hatte. Zugleich beschließe ich, jenes hinfüro ordentlich alle Abende vor Schlafengehn fortzusetzen, und alles Interessante was mir begegnet, besonders aber Charakterzüge und Bemerkungen einzutragen."

„Den achtundzwanzigsten, Abends. Noch gestern fing ich an, meine Kritik zu revidieren, und kam auf recht gute tiefe Gedanken, die mich aber leider überzeugten, daß die erste Bearbeitung von Grund aus oberflächlich ist. Heute wollte ich die neuen Untersuchungen fortsetzen, fand mich aber von meiner Phantasie so fortgerissen, daß ich den ganzen Tag nichts habe tun können. In meiner jetzigen Lage ist dies nun leider kein Wunder! Ich habe berechnet, daß ich von heute an nur noch vierzehn Tage hier subsistieren kann. — Freilich bin ich schon in solchen Verlegenheiten gewesen, aber es war in meinem Vaterlande, und dann wird es bei zunehmenden Jahren und dringenderem Ehrgefühl immer härter. — Ich habe keinen Entschluß, kann keinen fassen. — Dem Pastor Borowski, zu welchem Kant mich gehen ließ, werde ich mich nicht entdecken; soll ich mich ja entdecken, so geschieht es an niemand, als Kant selbst."

„Am neunundzwanzigsten ging ich zu Borowski und fand an ihm einen recht guten, ehrlichen Mann. Er schlug mir eine Kondition vor, die aber noch nicht völlig gewiß ist, und die mich auch gar nicht sehr freut; zugleich nötigte er mir durch seine Offenheit das Geständnis ab, daß ich pressiert sei, eine Versorgung zu wünschen. Er riet mir, zu Professor W. zu gehn. Arbeiten habe ich nicht gekonnt. — Am folgenden Tage ging ich in der Tat zu W., und nachher zum Hofprediger Schultz. Die Aussichten bei ersterem sind sehr mißlich; doch sprach er von Hauslehrerstellen im Kurländischen, die mich ebenfalls nur die höchste Not anzunehmen bewegen wird! Nachher zum Hofprediger, wo anfangs mich seine Gattin empfing. Auch er erschien, aber in mathematische Zirkel vertieft; nachher, als er meinen Namen genauer hörte, wurde er durch die Empfehlung Kants desto freundlicher. Es ist ein eckiges preußisches Gesicht, doch leuchtet die Ehrlichkeit und Gutherzigkeit selbst aus seinen Zügen hervor. Ferner lernte ich da noch kennen Herrn Bräunlich und dessen Pflegebefohlnen, den Grafen Dönhof, Herrn Büttner, Neveu des Hofpredigers, und einen jungen Gelehrten aus Nürnberg, Herrn Ehrhard, einen guten, trefflichen Kopf, doch ohne Lebensart und Weltkenntnis."

„Am ersten September stand ein Entschluß in mir fest, den ich Kant entdecken wollte; eine Hauslehrerstelle, so ungern ich dieselbe auch angenommen hätte, findet sich nicht, und die Ungewißheit meiner Lage hindert mich hier, mit freiem Geiste zu arbeiten, und des bildenden Umgangs meiner Freunde zu genießen: Also fort, in mein Vaterland zurück! Das kleine Darlehen, welches ich dazu bedarf, wird mir vielleicht durch Kants Vermittlung verschafft werden. Aber indem ich zu ihm gehn, und meinen Vorschlag ihm machen wollte, entfiel mir der Mut. Ich beschloß zu schreiben. Abends wurde ich zu Hofpredigers gebeten, wo ich einen sehr angenehmen Abend verlebte. — Am zweiten vollendete ich den Brief an Kant und schickte ihn ab."

L

Trotz seiner Merkwürdigkeit kann ich mich doch nicht entschließen, diesen Brief hier in französischer Sprache mitzuteilen. Ich glaube, es steigt mir eine Röte in die Wangen, und mir ist, als sollte ich die verschämtesten Kümmernisse der eignen Familie vor fremden Leuten erzählen. Trotz meinem Streben nach französischem Weltsinn, trotz meinem philosophischen Kosmopolitismus, sitzt doch immer das alte Deutschland mit allen seinen Spießbürgergefühlen in meiner Brust. — Genug, ich kann jenen Brief nicht mitteilen, und ich berichte hier nur: Immanuel Kant war so arm, daß er trotz der herzzerreißend rührenden Sprache jenes Briefes, dem Johann Gottlieb Fichte kein Geld borgen konnte. Letzterer ward aber darob nicht im mindesten unmutig, wie wir aus den Worten des Tagebuchs, die ich noch hierhersetzen will, schließen können:

„Am dritten September wurde ich zu Kant eingeladen. Er empfing mich mit seiner gewöhnlichen Offenheit; sagte aber, er habe sich über meinen Vorschlag noch nicht resolviert; jetzt bis in 14 Tagen sei er außer Stande. Welche liebenswürdige Offenheit! Übrigens machte er Schwierigkeiten über meine Desseins, welche verrieten, daß er unsere Lage in Sachsen nicht genug kennt. — — Alle diese Tage habe ich nichts gemacht: Ich will aber wieder arbeiten und das übrige schlechthin Gott überlassen. — Am sechsten. — Ich war zu Kant gebeten, der mir vorschlug, mein Manuskript über die „Kritik aller Offenbarungen" durch Vermittlung des Herrn Pfarrer Borowski an Buchhändler Hartung zu verkaufen. Es sei gut geschrieben, meinte er, da ich von Umarbeitung sprach. — Ist dies wahr? Und doch sagt es Kant! — Übrigens schlug er mir meine erste Bitte ab. — Am zehnten war ich zu Mittag bei Kant. Nichts von unserer Affaire; Magister Gensichen war zugegen, und nur allgemeine, zum Teil sehr interessante Gespräche: Auch ist Kant ganz unverändert gegen mich derselbe. — — Am

dreizehnten, heute, wollte ich arbeiten, und tue nichts.
Mein Mißmut überfällt mich. Wie wird dies ablaufen?
Wie wird es heut über acht Tage um mich stehen? Da ist
mein Geld rein aufgezehrt!"

Nach vielem Umherirren, nach einem langen Aufenthalt
in der Schweiz findet Fichte endlich eine feste Stelle in
Jena, und von hier aus datiert sich seine Glanzperiode.
Jena und Weimer, zwei sächsische Städtchen, die nur wenige Stunden von einander entfernt liegen, waren damals
der Mittelpunkt des deutschen Geisterlebens. In Weimar
war der Hof und die Poesie, in Jena war die Universität und
die Philosophie. Dort sahen wir die größten Dichter, hier
die größten Gelehrten Deutschlands. Anno 1794 begann
Fichte seine Vorlesungen in Jena. Die Jahrzahl ist bedeut-
sam und erklärt sowohl den Geist seiner damaligen Schriften, als auch die Tribulationen, denen er seitdem ausgesetzt stand, und denen er vier Jahre später endlich unterlag.
Anno 1798 nämlich erheben sich gegen ihn die Anklagen
wegen Atheismus, die ihm unleidliche Verfolgungen zuzie-
hen und auch seinen Abgang von Jena bewirken. Diese
Begebenheit, die merkwürdigste in Fichtes Leben, hat zugleich eine allgemeine Bedeutung, und wir dürfen nicht davon schweigen. Hier kommt auch Fichtes Ansicht von der
Natur Gottes ganz eigentlich zur Sprache.

In der Zeitschrift „Philosophisches Journal", welche
Fichte damals herausgab, druckte er einen Aufsatz, betitelt
„Entwickelung des Begriffs Religion", der ihm von einem
gewissen Forberg, welcher Schullehrer zu Saalfeld, einge-
sendet worden. Diesem Aufsatz fügte er noch eine kleine
erläuternde Abhandlung hinzu, unter dem Titel: „Über den
Grund unseres Glaubens an eine göttliche Weltregierung".

Die beiden Stücke nun wurden von der kursächsischen
Regierung konfisziert, unter dem Vorgeben, sie enthielten
Atheismus, und zugleich ging von Dresden aus ein Requi-

sitionsschreiben an den weimarschen Hof, worin derselbe
aufgefordert wurde, den Professor Fichte ernstlich zu be-
strafen. Der weimarsche Hof hatte nun freilich von dergleichen Ansinnen sich keineswegs irre leiten lassen; aber
da Fichte bei diesem Vorfalle die größten Fehlgriffe beging,
da er nämlich eine Appellation ans Publikum schrieb, ohne
seine offizielle Behörde zu berücksichtigen: So hat diese,
die weimarsche Regierung, verstimmt und von außen ge-
drängt, dennoch nicht vermeiden können, den in seinen
Ausdrücken unvorsichtigen Professor mit einer gelinden
Rüge zu erquicken. Fichte aber, der sich in seinem Rechte
glaubte, wollte solche Rüge nicht geduldig hinnehmen und
verließ Jena. Nach seinen damaligen Briefen zu schließen,
wurmte ihn ganz besonders das Verhalten zweier Männer,
die, durch ihre amtliche Stellung, in seiner Sache besonders
wichtige Stimmen hatten, und dieses waren S. Ehrwürden
der Oberkonsistorialrat v. Herder und S. Excellenz der Geheime Rat v. Goethe. Aber beide sind hinreichend zu ent-
schuldigen. Es ist rührend, wenn man in Herders hinter-
lassenen Briefen liest, wie der arme Herder seine liebe Not
hatte mit den Kandidaten der Theologie, die, nachdem sie
in Jena studiert, zu ihm nach Weimar kamen, um als protestantische Prediger examiniert zu werden. Über Christus,
den Sohn, wagte er im Examen sie gar nicht mehr zu be-
fragen; er war froh genug, wenn man ihm nur die Existenz
des Vaters zugestand. Was Goethe betrifft, so hat er sich in
seinen Memoiren über obiges Ereignis folgendermaßen
geäußert:

„Nach Reinholds Abgang von Jena, der mit Recht als ein
großer Verlust für die Akademie erschien, war mit Kühnheit, ja Verwegenheit an seine Stelle Fichte berufen worden,
der in seinen Schriften sich mit Großheit, aber vielleicht
nicht ganz gehörig über die wichtigsten Sitten- und Staats-
gegenstände erklärt hatte. Es war eine der tüchtigsten Per-

sönlichkeiten, die man je gesehen, und an seinen Gesinnungen im höheren Betracht nichts auszusetzen; aber wie hätte er mit der Welt, die er als seinen erschaffenen Besitz betrachtete, gleichen Schritt halten sollen?

„Da man ihm die Stunden, die er zu öffentlichen Vorlesungen benutzen wollte, an Werktagen verkümmert hatte, so unternahm er Sonntags Vorlesungen, deren Einleitung Hindernisse fand. Kleine und größere daraus entspringende Widerwärtigkeiten waren kaum, nicht ohne Unbequemlichkeit der oberen Behörden, getuscht und geschlichtet, als uns dessen Äußerungen über Gott und göttliche Dinge, über die man freilich besser ein tiefes Stillschweigen beobachtet, von außen beschwerende Anregungen zuzogen.

„Fichte hatte in seinem philosophischen Journal über Gott und göttliche Dinge auf eine Weise sich zu äußern gewagt, welche den hergebrachten Ausdrücken über solche Geheimnisse zu widersprechen schien. Er ward in Anspruch genommen; seine Verteidigung besserte die Sache nicht, weil er leidenschaftlich zu Werke ging, ohne Ahnung, wie gut man diesseits für ihn gesinnt sei, wie wohl man seine Gedanken, seine Worte auszulegen wisse, welches man freilich ihm nicht gerade mit dürren Worten zu erkennen geben konnte, und eben so wenig wie man ihm auf das Gelindeste herauszuhelfen gedachte. Das Hin- und Widerreden, das Vermuten und Behaupten, das Bestärken und Entschließen wogte in vielfachen unsicheren Reden auf der Akademie in einander; man sprach von einem ministeriellen Vorhalt, von nichts Geringerem als einer Art Verweis, dessen Fichte sich zu gewärtigen hätte. Hierüber ganz außer Fassung, hielt er sich für berechtigt, ein heftiges Schreiben beim Ministerium einzureichen, worin er jene Maßregel als gewiß voraussetzend, mit Ungestüm und Trotz erklärte, er werde dergleichen niemals dulden, er werde lieber ohne weiteres von der Akademie abziehen, und in solchem Falle nicht allein, indem mehrere bedeutende Lehrer, mit ihm einstimmig, den Ort zu verlassen gedächten.

„Hierdurch war nun auf einmal aller gegen ihn gehegte gute Wille gehemmt, ja paralysiert: Hier blieb kein Ausweg, keine Vermittlung übrig, und das Gelindeste war, ihm ohne weiteres seine Entlassung zu erteilen. Nun erst, nachdem die Sache sich nicht mehr ändern ließ, vernahm er die Wendung, die man ihr zu geben im Sinne gehabt, und er mußte seinen übereilten Schritt bereuen, wie wir ihn bedauern."

Ist das nicht, wie er leibt und lebt, der ministerielle, schlichtende, vertuschende Goethe? Er rügt im Grunde nur, daß Fichte das gesprochen, was er dachte, und daß er es nicht in den hergebrachten verhüllenden Ausdrücken gesprochen. Er tadelt nicht den Gedanken, sondern das Wort. Daß der Deismus in der deutschen Denkerwelt seit Kant vernichtet sei, war, wie ich schon einmal gesagt, ein Geheimnis, das jeder wußte, das man aber nicht laut, auf dem Markte ausschreien sollte. Goethe war so wenig Deist wie Fichte; denn er war Pantheist. Aber eben von der Höhe des Pantheismus konnte Goethe, mit seinem scharfen Auge, die Haltlosigkeit der Fichteschen Philosophie am besten durchschauen und seine milden Lippen mußten darob lächeln. Den Juden, was doch die Deisten am Ende alle sind, mußte Fichte ein Greul sein; dem großen Heiden war er bloß eine Torheit. „Der große Heide" ist nämlich der Name, den man in Deutschland dem Goethe beilegt. Doch ist dieser Name nicht ganz passend. Das Heidentum des Goethe ist wunderbar modernisiert. Seine starke Heidennatur bekundet sich in dem klaren, scharfen Auffassen aller äußeren Erscheinungen, aller Farben und Gestalten; aber das Christentum hat ihn zu gleicher Zeit mit einem tieferen Verständnis begabt, trotz seines sträubenden Widerwillens hat das Christentum ihn eingeweiht in die Geheimnisse der Geisterwelt, er hat vom Blute Christi genos-

sen, und dadurch verstand er die verborgensten Stimmen
der Natur, gleich Siegfried, dem Nibelungenheld, der plötzlich die Sprache der Vögel verstand, als ein Tropfen Blut
des erschlagenen Drachen seine Lippen benetzte. Es ist
merkwürdig, wie bei Goethe jene Heidennatur von unserer
heutigsten Sentimentalität durchdrungen war, wie der an-
tike Marmor so modern pulsierte, und wie er die Leiden
eines jungen Werthers ebenso stark mitempfand, wie die
Freuden eines alten Griechengottes. Der Pantheismus des
Goethe ist also von dem heidnischen sehr unterschieden.
Um mich kurz auszudrücken: Goethe war der Spinoza der
Poesie. Alle Gedichte Goethes sind durchdrungen von
demselben Geiste, der uns auch in den Schriften des Spinoza anweht. Daß Goethe gänzlich der Lehre des Spinoza
huldigte, ist keinem Zweifel unterworfen. Wenigstens beschäftigte er sich damit während seiner ganzen Lebenszeit;
in dem Anfang seiner Memoiren, sowie auch in dem kürzlich erschienenen letzten Bande derselben, hat er solches
freimütig bekannt. Ich weiß nicht mehr, wo ich es gelesen,
daß Herder über diese beständige Beschäftigung mit Spinoza, einst übellaunig ausrief: Wenn doch der Goethe einmal ein anderes lateinisches Buch als den Spinoza in die
Hand nähme! Aber dieses gilt nicht bloß von Goethe; noch
eine Menge seiner Freunde, die später mehr oder minder
als Dichter bekannt wurden, huldigten frühzeit dem Pantheismus, und dieser blühte praktisch in der deutschen
Kunst, ehe er noch als philosophische Theorie bei uns zur
Herrschaft gelangte. Eben zur Zeit Fichtes, als der Idealismus im Reiche der Philosophie seine erhabenste Blü-
tezeit feierte, ward er im Reiche der Kunst gewaltsam zerstört, und es entstand hier jene berühmte Kunstrevolution,
die noch heute nicht beendigt ist, und die mit dem Kampfe
der Romantiker gegen das altklassische Regime, mit den
Schlegelschen Emeuten, anfängt.

In der Tat, unsere ersten Romantiker handelten aus
einem pantheistischen Instinkt, den sie selbst nicht begriffen. Das Gefühl, das sie für Heimweh nach der katholischen Mutterkirche hielten, war tieferen Ursprungs als sie
selbst ahnten, und ihre Verehrung und Vorliebe für die
Überlieferungen des Mittelalters, für dessen Volksglauben,
Teufeltum, Zauberwesen, Hexerei ... alles das war eine bei
ihnen plötzlich erwachte aber unbegriffene Zurückneigung
nach dem Pantheismus der alten Germanen, und in der
schnöde beschmutzten und boshaft verstümmelten Gestalt
liebten sie eigentlich nur die vorchristliche Religion ihrer
Väter. Hier muß ich erinnern an das erste Buch, wo ich
gezeigt wie das Christentum die Elemente der altgermanischen Religion in sich aufgenommen, wie diese nach
schmählichster Umwandlung sich im Volksglauben des
Mittelalters erhalten haben, so daß der alte Naturdienst als
lauter böse Zauberei, die alten Götter als lauter häßliche
Teufel und ihre keuschen Priesterinnen als lauter ruchlose
Hexen betrachtet wurden. Die Verirrungen unserer ersten
Romantiker lassen sich von diesem Gesichtspunkte aus etwas milder beurteilen als es sonst geschieht. Sie wollten das
katholische Wesen des Mittelalters restaurieren, weil sie
fühlten, daß von den Heiligtümern ihrer ältesten Väter, von
den Herrlichkeiten ihrer frühesten Nationalität, sich noch
manches darin erhalten hat; es waren diese verstümmelten
und geschändeten Reliquien, die ihr Gemüt so sympathetisch anzogen, und sie haßten den Protestantismus und den
Liberalismus, die dergleichen mitsamt der ganzen katholischen Vergangenheit zu vertilgen streben.

Doch darüber werde ich später sprechen. Hier gilt es nur
zu erwähnen, daß der Pantheismus schon zur Zeit Fichtes
in die deutsche Kunst eindrang, daß sogar die katholischen
Romantiker unbewußt dieser Richtung folgten, und daß
Goethe sie am bestimmtesten aussprach. Dieses geschieht

schon im „Werther", wo er nach einer liebeseligen Identifizierung mit der Natur schmachtet. Im „Faust" sucht er ein Verhältnis mit der Natur anzuknüpfen auf einem trotzig mystischen, unmittelbaren Wege: Er beschwört die geheimen Erdkräfte, durch die Zauberformeln des Höllenzwangs des alten Zauberbuchs, das ich mal in einer alten Klosterbibliothek gesehen, wo es an der Kette lag; das Titelblatt zeigt das Bild des Feuerkönigs, an dessen Lippen ein Schloß hängt, und auf dessen Haupt der Vogel Specht steht mit der Wünschelrute im Schnabel.

Aber am reinsten und lieblichsten beurkundet sich dieser Goethesche Pantheismus in seinen kleinen Liedern. Die Lehre des Spinoza hat sich aus der mathematischen Hülle entpuppt und umflattert uns als Goethesches Lied. Daher die Wut unserer Orthodoxen und Pietisten gegen das Goethesche Lied. Mit ihren frommen Bärentatzen tappen sie nach diesem Schmetterling, der ihnen beständig entflattert. Das ist so zart ätherisch, so duftig beflügelt. Ihr Franzosen könnt Euch keinen Begriff davon machen, wenn Ihr die Sprache nicht kennt. Diese Goetheschen Lieder haben einen neckischen Zauber, der unbeschreibbar. Die harmonischen Verse umschlingen dein Herz wie eine zärtliche Geliebte; das Wort umarmt dich, während der Gedanke dich küßt.

In Goethes Betragen gegen Fichte, sehen wir also keineswegs die häßlichen Motive, die von manchen Zeitgenossen mit noch häßlicheren Worten bezeichnet worden. Sie hatten die verschiedene Natur beider Männer nicht begriffen. Die Mildesten mißdeuteten die Passivität Goethes, als später Fichte stark bedrängt und verfolgt wurde. Sie berücksichtigen nicht Goethes Lage. Dieser Riese war Minister in einem deutschen Zwergstaate. Er konnte sich nie natürlich bewegen. Man sagte von dem sitzenden Jupiter des Phidias zu Olympia, daß er das Dachgewölbe des Tempels zersprengen würde, wenn er einmal plötzlich aufstünde. Dies war ganz die Lage Goethes zu Weimar; wenn er aus seiner stillsitzenden Ruhe einmal plötzlich in die Höhe gefahren wäre, er hätte den Staatsgiebel durchbrochen, oder, was noch wahrscheinlicher, er hätte sich daran den Kopf zerstoßen. Und dieses sollte er riskieren für eine Lehre, die nicht bloß irrig, sondern auch lächerlich? Der deutsche Jupiter blieb ruhig sitzen, und ließ sich ruhig anbeten und beräuchern.

Es würde mich von meinem Thema zu sehr entfernen, wollte ich, vom Standpunkte damaliger Kunstinteressen aus, das Betragen Goethes bei Gelegenheit der Anklage Fichtes noch gründlicher rechtfertigen. Für Fichte spricht nur, daß die Anklage eigentlich ein Vorwand war und daß sich politische Verhetzungen dahinter verbargen. Denn wegen Atheismus kann wohl ein Theolog angeklagt werden, weil er sich verpflichtet hat bestimmte Doktrinen zu lehren. Ein Philosoph hat aber keine solche Verpflichtung eingegangen, kann sie nicht eingehn, und sein Gedanke ist frei wie der Vogel in der Luft. — Es ist vielleicht Unrecht, daß ich, teils um meine eigenen, teils um anderer Gefühle zu schonen, nicht alles, was jene Anklage selbst begründete und rechtfertigte, hier mitteile. Nur eine von den mißlichen Stellen will ich aus dem inkulpierten Aufsatze hier hersetzen: „ — — Die lebendige und wirkende moralische Ordnung ist selbst Gott; wir bedürfen keines anderen Gottes und können keinen anderen fassen. Es liegt kein Grund in der Vernunft aus jener moralischen Weltordnung herauszugehen und vermittelst eines Schlusses vom Begründeten auf den Grund noch ein besonderes Wesen, als die Ursache desselben, anzunehmen; der ursprüngliche Verstand macht sonach diesen Schluß sicher nicht, und kennt kein solches besonderes Wesen; nur eine sich selbst mißverstehende Philosophie macht ihn. — — "

Wie es halsstarrigen Menschen eigentümlich, so hat sich Fichte in seiner „Appellation an das Publikum" und seiner gerichtlichen Verantwortung noch derber und greller ausgesprochen, und zwar mit Ausdrücken, die unser tiefstes Gemüt verletzen. Wir, die wir an einen wirklichen Gott glauben, der unseren Sinnen in der unendlichen Ausdehnung, und unserem Geiste in dem unendlichen Gedanken sich offenbart, wir, die wir einen sichtbaren Gott verehren in der Natur und seine unsichtbare Stimme in unserer eigenen Seele vernehmen; wir werden widerwärtig berührt von den grellen Worten, womit Fichte unseren Gott für ein bloßes Hirngespinst erklärt und sogar ironisiert. Es ist zweifelhaft, in der Tat, ob es Ironie oder bloßer Wahnsinn ist, wenn Fichte den lieben Gott von allem sinnlichen Zusatze so rein befreit, daß er ihm sogar die Existenz abspricht, weil Existieren ein sinnlicher Begriff und nur als sinnlicher möglich ist! Die Wissenschaftslehre, sagt er, kennt kein anderes Sein als das sinnliche, und da nur den Gegenständen der Erfahrung ein Sein zugeschrieben werden kann, so ist dieses Prädikat bei Gott nicht zu gebrauchen. Demnach hat der Fichtesche Gott keine Existenz, er ist nicht, er manifestiert sich nur als reines Handeln, als eine Ordnung von Begebenheiten, als ordo ordinans, als das Weltgesetz.

Solchermaßen hat der Idealismus die Gottheit durch alle möglichen Abstraktionen so lange durchfiltriert, bis am Ende gar nichts mehr von ihr übrig blieb. Jetzt, wie bei Euch an der Stelle eines Königs, so bei uns an der Stelle eines Gottes, herrschte das Gesetz.

Was ist aber unsinniger, eine loi athée, ein Gesetz, welches keinen Gott hat, oder ein Dieu-loi, ein Gott, der nur ein Gesetz ist?

Der Fichtesche Idealismus gehört zu den kolossalsten Irrtümern, die jemals der menschliche Geist ausgeheckt. Er ist gottloser und verdammlicher als der plumpste Ma-

terialismus. Was man Atheismus der Materialisten hier in
Frankreich nennt, wäre, wie ich leicht zeigen könnte, noch
immer etwas Erbauliches, etwas Frommgläubiges, in Vergleichung mit den Resultaten des Fichteschen Transzendental-Idealismus. So viel weiß ich, beide sind mir zuwider.
Beide Ansichten sind auch antipoetisch. Die französischen
Materialisten haben eben so schlechte Verse gemacht, wie
die deutschen Transzendental-Idealisten. Aber staatsgefährlich ist die Lehre Fichtes keineswegs gewesen, und noch
weniger verdiente sie als staatsgefährlich verfolgt zu werden. Um von dieser Irrlehre mißleitet werden zu können,
dazu bedurfte man eines spekulativen Scharfsinns, wie er
nur bei wenigen Menschen gefunden wird. Dem großen
Haufen mit seinen tausend dicken Köpfen war diese Irrlehre
ganz unzugänglich. Die Fichtesche Ansicht von Gott hätte
also auf rationellem, aber nicht auf polizeilichem Wege
widerlegt werden müssen. Wegen Atheismus in der Philosophie angeklagt zu werden, war auch in Deutschland so
etwas Befremdliches, daß Fichte wirklich im Anfang gar
nicht wußte, was man begehre. Ganz richtig sagte er, die
Frage, ob eine Philosophie atheistisch sei oder nicht? klinge
einem Philosophen eben so wunderlich, wie etwa einem
Mathematiker die Frage: Ob ein Dreieck grün oder rot sei?
  Jene Anklage hatte also ihre verborgenen Gründe, und
diese hat Fichte bald begriffen. Da er der ehrlichste Mensch
von der Welt war, so dürfen wir einem Briefe, worin er sich
gegen Reinhold über jene verborgenen Gründe ausspricht,
völligen Glauben schenken, und da dieser Brief, datiert
vom zweiundzwanzigsten Mai 1799, die ganze Zeit schildert
und die ganze Bedrängnis des Mannes veranschaulichen
kann, so wollen wir einen Teil desselben hier hersetzen:
  ,,Ermattung und Ekel bestimmen mich zu dem Dir schon
mitgeteilten Entschlusse, für einige Jahre ganz zu verschwinden. Ich war, meiner damaligen Ansicht der Sache

nach, sogar überzeugt, daß diesen Entschluß die Pflicht fordere, indem bei der gegenwärtigen Gärung ich ohnedies nicht gehört werden, und die Gärung nur ärger machen würde, nach ein paar Jahren aber, wenn die erste Befremdung sich gelegt, ich mit desto größerem Nachdruck sprechen würde. — Ich denke jetzt anders. Ich darf jetzt nicht verstummen; schweige ich jetzt, so dürfte ich wohl nie wieder ans Reden kommen. — Es war mir, seit der Verbindung Rußlands mit Östreich, schon längst wahrscheinlich, was mir nunmehr durch die neuesten Begebenheiten, und besonders seit dem gräßlichen Gesandtenmord (über den man hier jubelt, und über welchen S. und G. ausrufen: So ists recht, diese Hunde muß man tot schlagen) völlig gewiß ist, daß der Despotismus sich von nun an mit Verzweiflung verteidigen wird, daß er durch Paul und Pitt konsequent wird, daß die Basis seines Plans die ist, die Geistesfreiheit auszurotten, und daß die Deutschen ihm die Erreichung dieses Zwecks nicht erschweren werden.

„Glaube z. B. nicht, daß der weimarsche Hof geglaubt hat, der Frequenz der Universität werde durch meine Gegenwart geschadet werden; er weiß zu wohl das Gegenteil. Er hat zufolge des allgemeinen, besonders von Kursachsen kräftigst engriffenen ‖Plans mich entfernen müssen. Burscher in Leipzig, ein Eingeweihter dieser Geheimnisse, ist schon gegen Ende des vorigen Jahrs eine ansehnliche Wette eingegangen, daß ich zu Ende dieses Jahrs Exulant sein würde. Voigt ist durch Burgsdorf schon längst gegen mich gewonnen worden. Vom Department der Wissenschaften zu Dresden ist bekannt gemacht worden, daß keiner, der sich auf die neuere Philosophie lege, befördert werden, oder, wenn er es schon ist, weiter rücken solle. In der Freischule zu Leipzig ist sogar die Rosenmüllersche Aufklärung bedenklich gefunden; Luthers Katechismus ist neuerlich dort wieder eingeführt, und die Lehrer sind von neuem auf die symbolischen Bücher konfirmiert worden. Das wird weiter gehn und sich verbreiten. — — — In Summa: Es ist mir gewisser, als das Gewisseste, daß, wenn nicht die Franzosen die ungeheuerste Übermacht erringen und in Deutschland, wenigstens einem beträchtlichen Teile desselben, eine Veränderung durchsetzen, in einigen Jahren in Deutschland kein Mensch mehr, der dafür bekannt ist, in seinem Leben einen freien Gedanken gedacht zu haben, eine Ruhestätte finden wird. — Es ist mir also gewisser als das Gewisseste, daß finde ich auch jetzt irgendwo ein Winkelchen, ich doch in einem, höchstens in zwei Jahren wieder fortgejagt werden würde; und es ist gefährlich, sich an mehreren Orten fortjagen zu lassen; dies lehrt historisch Rousseaus Beispiel.

„Gesetzt, ich schweige ganz, schreibe nicht das Geringste mehr: Wird man mich unter dieser Bedingung ruhig lassen? Ich glaube dies nicht, und gesetzt, ich könnte es von Höfen hoffen, wird nicht die *Geistlichkeit*, wohin ich mich auch wende, den *Pöbel* gegen mich aufhetzen, mich von ihm steinigen lassen, und nun — die Regierungen bitten, mich als einen Menschen, der Unruhen erregt, zu entfernen? Aber darf ich dann schweigen? Nein, das darf ich wahrlich nicht; denn ich habe Grund zu glauben, daß, wenn noch etwas gerettet werden kann des deutschen Geistes, es durch mein Reden gerettet werden kann, und durch mein Stillschweigen die Philosophie ganz und zu frühe zu Grunde gehen würde. Denen ich nicht zutraue, daß sie mich schweigend würden existieren lassen, traue ich noch weniger zu, daß sie mich werden reden lassen.

„Aber ich werde sie von der Unschädlichkeit meiner Lehre überzeugen. — Lieber Reinhold, wie Du mir so gut von diesen Menschen denken kannst! Je klarer ich werde, je unschuldiger ich erscheine, desto schwärzer werden sie und desto größer wird überhaupt mein wahres Vergehen.

Ich habe nie geglaubt, daß sie meinen vorgeblichen *Atheismus* verfolgen; sie verfolgen in mir einen Freidenker, der anfängt sich *verständlich* zu machen, (Kants Glück war seine Obskurität) und einen verschrienen *Demokraten;* es erschreckt sie, wie ein Gespenst, die *Selbständigkeit,* die, wie sie dunkel ahnen, meine Philosophie weckt."

Ich bemerke nochmals, daß dieser Brief nicht von gestern ist, sondern das Datum des 22. Mai 1799 trägt. Die politischen Verhältnisse jener Zeit haben eine gar betrübende Ähnlichkeit mit den neuesten Zuständen in Deutschland; nur daß damals der Freiheitssinn mehr unter Gelehrten, Dichtern und sonstigen Literaten blühete, heutigen Tags aber unter diesen viel minder, sondern weit mehr in der großen aktiven Masse, unter Handwerkern und Gewerbsleuten sich ausspricht. Während zur Zeit der ersten Revolution die bleiern deutscheste Schlafsucht auf dem Volke lastete, und gleichsam eine brutale Ruhe in ganz Germanien herrschte, offenbarte sich in unserer Schriftwelt das wildeste Gären und Wallen. Der einsamste Autor, der in irgend einem abgelegenen Winkelchen Deutschlands lebte, nahm Teil an dieser Bewegung; fast sympathetisch, ohne von den politischen Vorgängen genau unterrichtet zu sein, fühlte er ihre soziale Bedeutung, und sprach sie aus in seinen Schriften. Dieses Phänomen mahnt mich an die großen Seemuscheln, welche wir zuweilen als Zierat auf unsere Kamine stellen, und die, wenn sie auch noch so weit vom Meere entfernt sind, dennoch plötzlich zu rauschen beginnen, sobald dort die Flutzeit eintritt und die Wellen gegen die Küste heranbrechen. Als hier in Paris, in dem großen Menschen-Ozean, die Revolution losflutete, als es hier brandete und stürmte, da rauschten und brausten jenseits des Rheins die deutschen Herzen . . . Aber sie waren so isoliert, sie standen unter lauter fühllosem Porzellan, Teetassen und Kaffeekannen und chinesischen Pagoden, die

mechanisch mit dem Kopfe nickten, als wüßten sie, wovon
die Rede sei. Ach! unsere armen Vorgänger in Deutschland
mußten für jene Revolutionssympathie sehr arg büßen. Jun-
ker und Pfäffchen übten an ihnen ihre plumpsten und ge-
meinsten Tücken. Einige von ihnen flüchteten nach Paris
und sind hier in Armut und Elend verkommen und ver-
schollen. Ich habe jüngst einen blinden Landsmann gesehen, der noch seit jener Zeit in Paris ist; ich sah ihn im
Palais-Royal wo er sich ein bißchen an der Sonne gewärmt
hatte. Es war schmerzlich anzusehen, wie er blaß und
mager war und sich seinen Weg an den Häusern weiter
fühlte. Man sagte mir, es sei der alte dänische Dichter Heiberg. Auch die Dachstube habe ich jüngst gesehen, wo der
Bürger Georg Forster gestorben. Den Freiheitsfreunden,
die in Deutschland blieben, wäre es aber noch weit schlimmer ergangen, wenn nicht bald Napoleon und seine Franzosen uns besiegt hätten. Napoleon hat gewiß nie geahnt,
daß er selber der Retter der Ideologie gewesen. Ohne ihn
wären unsere Philosophen mitsamt ihren Ideen durch Gal-
gen und Rad ausgerottet worden. Die deutschen Freiheits-
freunde jedoch, zu republikanisch gesinnt, um dem Napoleon zu huldigen, auch zu großmütig, um sich der Fremd-
herrschaft anzuschließen, hüllten sich seitdem in ein tiefes
Schweigen. Sie gingen traurig herum mit gebrochenen
Herzen, mit geschlossenen Lippen. Als Napoleon fiel, da
lächelten sie, aber wehmütig, und schwiegen; sie nahmen
fast gar keinen Teil an dem patriotischen Enthusiasmus,
der damals, mit allerhöchster Bewilligung, in Deutschland
emporjubelte. Sie wußten, was sie wußten, und schwiegen.
Da diese Republikaner eine sehr keusche, einfache Lebensart führen, so werden sie gewöhnlich sehr alt, und als die
Juliusrevolution ausbrach, waren noch viele von ihnen am
Leben, und nicht wenig wunderten wir uns, als die alten
Käuze, die wir sonst immer so gebeugt und fast blödsinnig

schweigend umherwandeln gesehen, jetzt plötzlich das Haupt erhoben, und uns Jungen freundlich entgegen lachten, und die Hände drückten, und lustige Geschichten erzählten. Einen von ihnen hörte ich sogar singen; denn im Kaffeehause sang er uns die Marseiller Hymne vor, und wir lernten da die Melodie und die schönen Worte, und es dauerte nicht lange, so sangen wir sie besser als der Alte selbst; denn er hat manchmal in der besten Strophe wie ein Narr gelacht, oder geweint wie ein Kind. Es ist immer gut, wenn so alte Leute leben bleiben, um den Jungen die Lieder zu lehren. Wir Jungen werden sie nicht vergessen, und einige von uns werden sie einst jenen Enkeln einstudieren, die jetzt noch nicht geboren sind. Viele von uns werden aber unterdessen verfault sein, daheim im Gefängnisse, oder auf einer Dachstube in der Fremde.

Laßt uns wieder von Philosophie reden! Ich habe oben gezeigt, wie die Fichtesche Philosophie aus den dünnsten Abstraktionen aufgebaut, dennoch eine eiserne Unbeugsamkeit in ihren Folgerungen, die bis zur verwegensten Spitze emporstiegen, kund gab. Aber eines frühen Morgens erblicken wir in ihr eine große Veränderung. Das fängt an zu blümeln und zu flennen und wird weich und bescheiden. Aus dem idealistischen Titanen, der auf der Gedankenleiter den Himmel erklettert und mit kecker Hand in dessen leere Gemächer herumgetastet: Der wird jetzt etwas gebückt Christliches, das viel von Liebe seufzt. Solches ist nun die zweite Periode von Fichte, die uns hier wenig angeht. Sein ganzes System erleidet die befremdlichsten Modifikationen. In jener Zeit schrieb er ein Buch, welches Ihr jüngst übersetzt: „Die Bestimmung des Menschen". Ein ähnliches Buch: „Anweisung zum ewigen Leben" gehört ebenfalls in jene Periode.

Fichte, der starrsinnige Mann, wie sich von selbst versteht, wollte dieser eignen großen Umwandlung niemals

M

eingeständig sein. Er behauptete, seine Philosophie sei noch immer dieselbe, nur die Ausdrücke seien verändert, verbessert; man habe ihn nie verstanden. Er behauptete auch, die Naturphilosophie, die damals in Deutschland aufkam und den Idealismus verdrängte, sei im Grunde ganz und gar sein eignes System, und sein Schüler, Herr Joseph Schelling, welcher sich von ihm losgesabt und jene neue Philosophie eingeleitet, habe bloß die Ausdrücke umgeschaffen und seine alte Lehre nur durch unerquickliche Zutat erweitert.

Wir gelangen hier zu einer neuen Phase des deutschen Gedankens. Wir erwähnten die Namen Joseph Schelling und Naturphilosophie; da nun ersterer hier ganz unbekannt ist, und da auch der Ausdruck Naturphilosophie nicht allgemein verstanden wird, so habe ich beider Bedeutung zu erklären. Erschöpfend können wir solches nun freilich nicht in diesen Blättern; ein späteres Buch werden wir einer solchen Aufgabe widmen. Nur einige eindringende Irrtümer wollen wir hier abweisen, und nur der sozialen Wicktigkeit der erwähnten Philosophie einige Aufmerksamkeit leihen.

Zuerst ist zu erwähnen, daß Fichte nicht so ganz Unrecht hat, wenn er eiferte, des Herrn Joseph Schellings Lehre sei eigentlich die seinige, nur anders formuliert und erweitert. Ebenso wie Herr Joseph Schelling lehrte auch Fichte: Es gibt nur ein Wesen, das Ich, das Absolute; er lehrte Identität des Idealen und des Realen. In der „Wissenschaftslehre", wie ich gezeigt, hat Fichte durch intellektuelle Konstruktion aus dem Idealen das Reale konstruieren wollen. Herr Joseph Schelling hat aber die Sache umgekehrt: Er suchte aus dem Realen das Ideale herauszudeuten. Um mich noch klarer auszudrücken: Von dem Grundsatze ausgehend, daß der Gedanke und die Natur eins und dasselbe seien, gelangt Fichte durch Geistesoperation zur Erscheinungswelt, aus dem Gedanken schafft er die Natur, aus dem

Idealen das Reale; dem Herrn Schelling hingegen, während er von demselben Grundsatz ausgeht, wird die Erscheinungswelt zu lauter Ideen, die Natur wird ihm zum Gedanken, das Reale zum Idealen. Beide Richtungen, die von Fichte und die von Herrn Schelling, ergänzen sich daher gewissermaßen. Denn nach jenem erwähnten obersten Grundsatze konnte die Philosophie in zwei Teile zerfallen, und in dem einen Teil würde man zeigen: Wie aus der Idee die Natur zur Erscheinung kommt; in dem andern Teil würde man zeigen: Wie die Natur sich in lauter Ideen auflöst. Die Philosophie konnte daher zerfallen in transzendentalen Idealismus und in Naturphilosophie. Diese beiden Richtungen hat nun auch Herr Schelling wirklich anerkannt, und die letztere verfolgte er in seinen „Ideen zu einer Philosophie der Natur" und erstere in seinem „System des transzendentalen Idealismus".

Diese Werke, wovon das eine 1797 und das andere 1800 erschienen, erwähne ich nur deshalb, weil jene ergänzende Richtungen schon in ihrem Titel ausgesprochen sind, nicht weil etwa ein vollständiges System in ihnen enthalten sei. Nein, dieses findet sich in keinem von Herrn Schellings Büchern. Bei ihm gibt es nicht, wie bei Kant und bei Fichte, ein Hauptbuch, welches als Mittelpunkt seiner Philosophie betrachtet werden kann. Es wäre eine Ungerechtigkeit, wenn man Herrn Schelling nach dem Umfange eines Buches und nach der Strenge des Buchstabens beurteilen wollte. Man muß vielmehr seine Bücher chronologisch lesen, die allmähliche Ausbildung seines Gedankens darin verfolgen, und sich dann an seiner Grundidee festhalten. Ja, es scheint mir auch nötig, daß man bei ihm nicht selten unterscheide, wo der Gedanke aufhört und die Poesie anfängt. Denn Herr Schelling ist eines von jenen Geschöpfen, denen die Natur mehr Neigung zur Poesie als poetische Potenz verliehen hat, und die, unfähig den Töch-

tern des Parnassus zu genügen, sich in die Wälder der
Philosophie geflüchtet und dort mit abstrakten Hamadrya-
den die unfruchtbarste Ehe führen. Ihr Gefühl ist poe-
tisch, aber das Werkzeug, das Wort, ist schwach; sie ringen
vergebens nach einer Kunstform, worin sie ihre Gedanken
und Erkenntnisse mitteilen können. Die Poesie ist Herrn
Schellings Force und Schwäche. Sie ist es, wodurch er sich
von Fichte unterscheidet, sowohl zu seinem Vorteil als auch
zu seinem Nachteil. Fichte ist nur Philosoph und seine
Macht besteht in Dialektik und seine Stärke besteht im
Demonstrieren. Dieses aber ist die schwache Seite des
Herren Schelling, er lebt mehr in Anschauungen, er fühlt
sich nicht heimisch in den kalten Höhen der Logik, er
schnappt gern über in die Blumentäler der Symbolik, und
seine philosophische Stärke besteht im Konstruieren. Letzteres aber ist eine Geistesfähigkeit, die bei den mittelmäßi-
gen Poeten eben so oft gefunden, wie bei den besten
Philosophen.

Nach dieser letzteren Andeutung wird begreiflich, daß
Herr Schelling in demjenigen Teile der Philosophie, der
bloß transzendentaler Idealismus ist, nur ein Nachbeter von
Fichte geblieben und bleiben mußte, daß er aber in der
Philosophie der Natur, wo er unter Blumen und Sternen zu
wirtschaften hatte, gar gewaltig blühen und strahlen mußte.
Diese Richtung ist daher nicht bloß von ihm, sondern auch
von den gleichgestimmten Freunden vorzugsweise verfolgt
worden, und der Ungestüm, der dabei zum Vorschein kam,
war gleichsam nur eine dichterlingsche Reaktion gegen die
frühere abstrakte Geistesphilosophie. Wie freigelassene
Schulknaben, die den ganzen Tag in engen Sälen unter der
Last der Vokabeln und Chiffern geseufzt, so stürmten die
Schüler des Herrn Schelling hinaus in die Natur, in das
duftende, sonnige Reale, und jauchzten, und schlugen Bur-
zelbäume, und machten einen großen Spektakel.

Der Ausdruck „die Schüler des Herren Schelling" darf hier ebenfalls nicht in seinem gewöhnlichen Sinne genommen werden. Herr Schelling selber sagt, nur in der Art der alten Dichter habe er eine Schule bilden wollen, eine Dichterschule, wo keiner an eine bestimmte Doktrin und durch eine bestimmte Disziplin gebunden ist, sondern wo jeder dem Geiste gehorcht und jeder ihn in seiner Weise offenbart. Er hätte auch sagen können, er stifte eine Prophetenschule, wo die Begeisterten zu prophezeien anfangen, nach Lust und Laune, und in beliebiger Sprechart. Dies taten auch wirklich die Jünger, die des Meisters Geist angeregt, die beschränktesten Köpfe fingen an zu prophezeien, jeder in einer andern Zunge, und es entstand ein großes Pfingstfest in der Philosophie.

Wie das Bedeutendste und Herrlichste zu lauter Mummenschanz und Narretei verwendet werden kann, wie eine Rotte von feigen Schälken und melancholischen Hanswürsten im Stande ist, eine große Idee zu kompromittieren, das sehen wir hier bei Gelegenheit der Naturphilosophie. Aber das Ridikül, das ihr die Prophetenschule oder die Dichterschule des Herrn Schelling bereitet, kommt wahrlich nicht auf ihre eigne Rechnung. Denn die Idee der Naturphilosophie ist ja im Grunde nichts anders, als die Idee des Spinoza, der Pantheismus.

Die Lehre des Spinoza und die Naturphilosophie, wie sie Schelling in seiner besseren Periode aufstellte, sind wesentlich eins und dasselbe. Die Deutschen, nachdem sie den Lockeschen Materialismus verschmäht und den Leibnitzschen Idealismus bis auf die Spitze getrieben und diesen ebenfalls unfruchtbar erfunden, gelangten endlich zu dem dritten Sohne des Descartes, zu Spinoza. Die Philosophie hat wieder einen großen Kreislauf vollendet, und man kann sagen, es sei derselbe, den sie schon vor zweitausend Jahren in Griechenland durchlaufen. Aber bei näherer Verglei-

chung dieser beiden Kreisläufe zeigt sich eine wesentliche
Verschiedenheit. Die Griechen hatten eben so kühne Skep-
tiker, wie wir, die Eleaten haben die Realität der Außenwelt
eben so bestimmt geleugnet, wie unsere neueren Transzendental-Idealisten. Plato hat eben so gut wie Herr Schelling
in der Erscheinungswelt die Geisteswelt wiedergefunden.
Aber wir haben etwas voraus vor den Griechen, sowie auch
vor den Cartesianischen Schulen, wir haben etwas vor
ihnen voraus, nämlich:

Wir begannen unseren philosophischen Kreislauf mit
einer Prüfung der menschlichen Erkenntnisquellen, mit der
Kritik der reinen Vernunft unseres Immanuel Kant.

Bei Erwähnung Kants kann ich obigen Betrachtungen
hinzufügen, daß der Beweis für das Dasein Gottes, den
derselbe noch bestehen lassen, nämlich der sogenannte
moralische Beweis, von Herrn Schelling mit großem Eklat
umgestoßen worden. Ich habe aber oben schon bemerkt,
daß dieser Beweis nicht von sonderlicher Stärke war, und
daß Kant ihn vielleicht nur aus Gutmütigkeit bestehen
lassen. Der Gott des Herrn Schelling ist das Gott-Welt-
All des Spinoza. Wenigstens war er es im Jahr 1801, im
zweiten Bande der „Zeitschrift für spekulative Physik".
Hier ist Gott die absolute Identität der Natur und des Denkens, der Materie und des Geistes, und die absolute Identität ist nicht Ursache des Welt-Alls, sondern sie ist das
Welt-All selbst, sie ist also das Gott-Welt-All. In diesem
gibt es auch keine Gegensätze und Teilungen. Die absolute
Identität ist auch die absolute Totalität. Ein Jahr später
hat Herr Schelling seinen Gott noch mehr entwickelt, nämlich in einer Schrift, betitelt: „Bruno, oder über das göttliche oder natürliche Prinzip der Dinge". Dieser Titel erinnert an den edelsten Märtyrer unserer Doktrin, Jordano
Bruno von Nola, glorreichen Andenkens. Die Italiener behaupten, Herr Schelling habe dem alten Bruno seine besten

Gedanken entlehnt, und sie beschuldigen ihn des Plagiats. Sie haben Unrecht, denn es gibt kein Plagiat in der Philosophie. Anno 1804 erschien der Gott des Herren Schelling endlich ganz fertig in einer Schrift, betitelt: „Philosophie und Religion". Hier finden wir in ihrer Vollständigkeit die Lehre vom Absoluten. Hier wird das Absolute in drei Formeln ausgedrückt. Die erste ist die kategorische: Das Absolute ist weder das Ideale noch das Reale (weder Geist noch Materie), sondern es ist die Identität beider. Die zweite Formel ist die hypothetische: Wenn ein Subjekt und ein Objekt vorhanden ist, so ist das Absolute die wesentliche Gleichheit dieser beiden. Die dritte Formel ist die disjunktive: Es ist nur Ein Sein, aber dies Eine kann zu gleicher Zeit, oder abwechselnd, als ganz ideal oder als ganz real betrachtet werden. Die erste Formel ist ganz negativ, die zweite setzt eine Bedingung voraus, die noch schwerer zu begreifen ist, als das Bedingte selbst, und die dritte Formel ist ganz die des Spinoza: Die absolute Substanz ist erkennbar entweder als Denken oder als Ausdehnung. Auf philosophischem Wege konnte also Herr Schelling nicht weiter kommen als Spinoza, da nur unter der Form dieser beiden Attribute, Denken und Ausdehnung, das Absolute zu begreifen ist. Aber Herr Schelling verläßt jetzt den philosophischen Weg, und sucht durch eine Art mystischer Intuition zur Anschauung des Absoluten selbst zu gelangen, er sucht es anzuschauen in seinem Mittelpunkt, in seiner Wesenheit, wo es weder etwas Ideales ist noch etwas Reales, weder Gedanken noch Ausdehnung, weder Subjekt noch Objekt, weder Geist noch Materie, sondern . . . was weiß ich!

Hier hört die Philosophie auf bei Herrn Schelling, und die Poesie, ich will sagen, die Narrheit, beginnt. Hier aber auch findet er den meisten Anklang bei einer Menge von Faselhänsen, denen es eben recht ist, das ruhige Denken

aufzugeben, und gleichsam jene Derwisch Tourneurs nach-
zuahmen, die wie unser Freund Jules David erzählt, sich so
lange im Kreise herumdrehen, bis sowohl objektive wie sub-
jektive Welt ihnen entschwindet, bis beides zusammen-
fließt in ein weißes Nichts, das weder real noch ideal ist, bis
sie etwas sehen, was nicht sichtbar, hören, was nicht hörbar,
bis sie Farben hören und Töne sehen, bis sich das Absolute
ihnen veranschaulicht.

Ich glaube, mit dem Versuch, das Absolute intellektuell
anzuschauen, ist die philosophische Laufbahn des Herrn
Schelling beschlossen. Ein größerer Denker tritt jetzt auf,
der die Naturphilosophie zu einen vollendeten System aus-
bildet, aus ihrer Synthese die ganze Welt der Erscheinungen erklärt, die großen Ideen seiner Vorgänger durch
größere Ideen ergänzt, sie durch alle Disziplinen durch-
führt und also wissenschaftlich begründet. Er ist ein Schüler des Herrn Schelling, aber ein Schüler, der allmählich
im Reiche der Philosophie aller Macht seines Meisters sich
bemeisterte, diesem herrschsüchtig über den Kopf wuchs
und ihn endlich in die Dunkelheit verstieß. Es ist der
große Hegel, der größte Philosoph, den Deutschland seit
Leibnitz erzeugt hat. Es ist keine Frage, daß er Kant und
Fichte weit überragt. Er ist scharf wie jener und kräftig wie
dieser, und hat dabei noch einen konstituierenden Seelen-
frieden, eine Gedankenharmonie, die wir bei Kant und
Fichte nicht finden, da in diesen mehr der revolutionäre
Geist waltet. Diesen Mann mit Herrn Joseph Schelling zu
vergleichen, ist gar nicht möglich; denn Hegel war ein
Mann von Charakter. Und wenn er auch, gleich Herrn
Schelling, dem Bestehenden in Staat und Kirche einige allzu
bedenkliche Rechtfertigungen verlieh, so geschah dieses
doch für einen Staat, der dem Prinzip des Fortschrittes
wenigstens in der Theorie huldigt, und für eine Kirche, die
das Prinzip der freien Forschung als ihr Lebenselement be-

trachtet; und er machte daraus kein Hehl, er war aller seiner Absichten eingeständig, Herr Schelling hingegen windet sich wurmhaft in den Vorzimmern eines sowohl praktischen wie theoretischen Absolutismus, und er handlangert in der Jesuitenhöhle, wo Geistesfesseln geschmiedet werden; und dabei will er uns weismachen, er sei noch immer unverändert derselbe Lichtmensch, der er einst war, er verleugnet seine Verleugnung, und zu der Schmach des Abfalls fügt er noch die Feigheit der Lüge!

Wir dürfen es nicht verhehlen, weder aus Pietät, noch aus Klugheit, wir wollen es nicht verschweigen: Der Mann, welcher einst am kühnsten in Deutschland die Religion des Pantheismus ausgesprochen, welcher die Heiligung der Natur und die Wiedereinsetzung des Menschen in seine Gottesrechte am lautesten verkündet, dieser Mann ist abtrünnig geworden von seiner eigenen Lehre, er hat den Altar verlassen, den er selber eingeweiht, er ist zurückgeschlichen in den Glaubensstall der Vergangenheit, er ist jetzt gut katholisch und predigt einen außerweltlichen, persönlichen Gott, „der die Torheit begangen habe, die Welt zu erschaffen". Mögen immerhin die Altgläubigen ihre Glocken läuten und Kyrie eleison singen, ob solcher Bekehrung — es beweist aber nichts für ihre Meinung, es beweist nur, daß der Mensch sich dem Katholizismus zuneigt, wenn er müde und alt wird, wenn er seine physischen und geistigen Kräfte verloren, wenn er nicht mehr genießen und denken kann. Auf dem Totenbette sind so viele Freidenker bekehrt worden — aber macht nur kein Rühmens davon! Diese Bekehrungsgeschichten gehören höchstens zur Pathologie und würden nur schlechtes Zeugnis geben für Eure Sache. Sie bewiesen am Ende nur, daß es Euch nicht möglich war, jene Freidenker zu bekehren, so lange sie mit gesunden Sinnen unter Gottes freiem Himmel umherwandelten und ihrer Vernunft völlig mächtig waren.

Ich glaube, Ballanche sagt: Es sei ein Naturgesetz, daß
die Initiatoren gleich sterben müssen, sobald sie das Werk
der Initiation vollbracht haben. Ach! guter Ballanche, das
ist nur zum Teil wahr, und ich möchte eher behaupten:
Wenn das Werk der Initiation vollbracht ist, stirbt der
Initiator — oder er wird abtrünnig. Und so können wir
vielleicht das strenge Urteil, welches das denkende Deutschland über Herrn Schelling fällt, einigermaßen mildern; wir
können vielleicht die schwere, dicke Verachtung, die auf
ihm lastet, in stilles Mitleid verwandeln, und seinen Abfall
von der eigenen Lehre erklären wir nur als eine Folge jenes
Naturgesetzes, daß derjenige, der an das Aussprechen oder
an die Ausführung eines Gedankens alle seine Kräfte hin-
gegeben, nachher, wenn er diesen Gedanken ausgesprochen
oder ausgeführt hat, erschöpft dahinsinkt, dahinsinkt entweder in die Arme des Todes oder in die Arme seiner
ehemaligen Gegner.

Nach solcher Erklärung begreifen wir vielleicht noch
grellere Phänomene des Tages, die uns so tief betrüben.
Wir begreifen dadurch vielleicht, warum Männer, die für
ihre Meinung alles geopfert, die dafür gekämpft und ge-
litten, endlich wenn sie gesiegt hat, die Meinung verlassen
und ins feindliche Lager hinübertreten! Nach solcher Erklärung darf ich auch darauf aufmerksam machen, daß nicht
bloß Herr Joseph Schelling, sondern gewissermaßen auch
Fichte und Kant des Abfalls zu beschuldigen sind. Fichte
ist noch zeitig genug gestorben, ehe sein Abfall von der
eigenen Philosophie allzu eklatant werden konnte. Und
Kant ist der „Kritik der reinen Vernunft" schon gleich
untreu geworden, indem er die „Kritik der praktischen
Vernunft" schrieb. Der Initiator stirbt — oder wird abtrünnig.

Ich weiß nicht, wie es kommt, dieser letzte Satz wirkt so
melancholisch zähmend auf mein Gemüt, daß ich in diesem

Augenblick nicht im Stande bin, die übrigen herben Wahrheiten, die den heutigen Herrn Schelling betreffen, hier
mitzuteilen. Laßt uns lieber jenen ehemaligen Schelling
preisen, dessen Andenken unvergeßlich blüht in den Annalen des deutschen Gedankens; denn der ehemalige Schelling repräsentiert, eben so wie Kant und Fichte, eine der
großen Phasen unserer philosophischen Revolution, die ich
in diesen Blättern mit den Phasen der politischen Revolution Frankreichs verglichen habe. In der Tat, wenn man
in Kant die terroristische Konvention und in Fichte das
Napoleonische Kaiserreich sieht, so sieht man in Herrn
Schelling die restaurierende Reaktion, welche hierauf folgte.
Aber es war zunächst ein Restaurieren im besseren Sinne.
Herr Schelling setzte die Natur wieder ein in ihre legitimen
Rechte, er strebte nach einer Versöhnung von Geist und
Natur, er wollte beide wieder vereinigen in der ewigen
Weltseele. Er restaurierte jene große Naturphilosophie, die
wir bei den altgriechischen Philosophen finden, die erst
durch Sokrates mehr ins menschliche Gemüt selbst hinein-
geleitet wird, und die nachher ins Ideelle verfließt. Er restaurierte jene große Naturphilosophie, die, aus der alten,
pantheistischen Religion der Deutschen heimlich empor-
keimend, zur Zeit des Paracelsus die schönsten Blüten ver-
kündete, aber durch den eingeführten Cartesianismus er-
drückt wurde. Ach! und am Ende restaurierte er Dinge,
wodurch er auch im schlechten Sinne mit der französischen
Restauration verglichen werden kann. Doch da hat ihn
die öffentliche Vernunft nicht länger geduldet, er wurde
schmählich herabgestoßen vom Throne des Gedankens,
Hegel, sein Majordomus, nahm ihm die Krone vom Haupt,
und schor ihn, und der entsetzte Schelling lebte seitdem
wie ein armseliges Mönchlein zu München, einer Stadt,
welche ihren pfäffischen Charakter schon im Namen trägt
und auf Latein Monacho monachorum heißt. Dort sah ich

ihn gespenstisch herumschwanken mit seinen großen blassen
Augen und seinem niedergedrückten, abgestumpften Gesichte, ein jammervolles Bild heruntergekommener Herrlichkeit. Hegel aber ließ sich krönen zu Berlin, leider auch
ein bißchen salben, und beherrschte seitdem die deutsche
Philosophie.

Unsere philosophische Revolution ist beendigt. Hegel
hat ihren großen Kreis geschlossen. Wir sehen seitdem nur
Entwicklung und Ausbildung der naturphilosophischen
Lehre. Diese ist, wie ich schon gesagt, in alle Wissenschaften eingedrungen und hat da das Außerordentlichste
und Großartigste hervorgebracht. Viel Unerfreuliches, wie
ich ebenfalls angedeutet, mußte zugleich ans Licht treten.
Diese Erscheinungen sind so vielfältig, daß schon zu ihrer
Aufzählung ein ganzes Buch nötig wäre. Hier ist die eigentlich interessante und farbenreiche Partie unserer Philoso-
phiegeschichte. Ich bin jedoch überzeugt, daß es den Franzosen nützlicher ist von dieser Partie gar nichts zu erfahren.
Den dergleichen Mitteilungen könnten dazu beitragen, die
Köpfe in Frankreich noch mehr zu verwirren; manche
Sätze der Naturphilosophie, aus ihrem Zusammenhang
gerissen, könnten bei Euch großes Unheil anrichten. So
viel weiß ich, wäret Ihr vor vier Jahren mit der deutschen
Naturphilosophie bekannt gewesen, so hättet Ihr nimmermehr die Juliusrevolution machen können. Zu dieser Tat
gehörte ein Konzentrieren von Gedanken und Kräften, eine
edle Einseitigkeit, ein süffisanter Leichtsinn, wie dessen nur
Eure alte Schule gestattet. Philosophische Verkehrtheiten,
womit man die Legitimität und die katholische Inkarna-
tionslehre allenfalls vertreten konnte, hätten Eure Begeisterung gedämpft, Euren Mut gelähmt. Ich halte es daher
für welthistorisch wichtig, daß Euer großer Eklektiker, der
Euch damals die deutsche Philosophie lehren wollte, auch
nicht das mindeste davon verstanden hat. Seine providen-

zielle Unwissenheit war heilsam für Frankreich und für die ganze Menschheit.

Ach, die Naturphilosophie, die in manchen Regionen des Wissens, namentlich in den eigentlichen Naturwissenschaften, die herrlichsten Früchte hervorgebracht, hat in anderen Regionen das verderblichste Unkraut erzeugt. Während Oken, der genialste Denker und einer der größten Bürger Deutschlands, seine neuen Ideenwelten entdeckte und die deutsche Jugend für die Urrechte der Menschheit, für Freiheit und Gleichheit, begeisterte: Ach! zu derselben Zeit dozierte Adam Müller die Stallfütterung der Völker nach naturphilosophischen Prinzipien; zu derselben Zeit predigte Herr Görres den Obskurantismus des Mittelalters, nach der naturwissenschaftlichen Ansicht, daß der Staat nur ein Baum sei und in seiner organischen Gliederung auch einen Stamm, Zweige und Blätter haben müsse, welches alles so hübsch in der Korporations-Hierarchie des Mittelalters zu finden sei; zu derselben Zeit proklamierte Herr Steffens das philosophische Gesetz, wonach der Bauernstand sich von dem Adelstand dadurch unterscheidet, daß der Bauer von der Natur bestimmt si zu arbeiten ohne zu genießen, der Adelige aber berechtigt sei zu genießen ohne zu arbeiten; — ja, vor einigen Monaten, wie man mir sagt, hat ein Krautjunker in Westfalen, ein Hans Narr, ich glaube mit dem Zunamen Haxthausen, eine Schrift herausgegeben, worin er die königlich preußische Regierung angeht, den konsequenten Parallelismus, den die Philosophie im ganzen Weltorganismus nachweist, zu berücksichtigen, und die politischen Stände strenger abzuscheiden, denn wie es in der Natur vier Elemente gebe, Feuer, Luft, Wasser und Erde, so gebe es auch vier analoge Elemente in der Gesellschaft, nämlich Adel, Geistlichkeit, Bürger und Bauern.

Wenn man solche betrübende Torheiten aus der Philo-

sophie emporsprossen und zu schädlichster Blüte gedeihen
sah; wenn man überhaupt bemerkte, daß die deutsche Jugend, versenkt in metaphysischen Abstraktionen, der nächsten Zeitinteressen vergaß und untauglich wurde für das
praktische Leben: So mußten wohl die Patrioten und Frei-
heitsfreunde einen gerechten Unmut gegen die Philosophie
empfinden, und einige gingen so weit, ihr, als einer müßi-
gen, nutzlosen Luftfechterei, ganz den Stab zu brechen.

Wir werden nicht so töricht sein, diese Malkontenten
ernsthaft zu widerlegen. Die deutsche Philosophie ist eine
wichtige das ganze Menschengeschlecht betreffende An-
gelegenheit, und erst die spätesten Enkel werden darüber
entscheiden können, ob wir dafür zu tadeln oder zu loben
sind, daß wir erst unsere Philosophie und hernach unsere
Revolution ausarbeiteten. Mich dünkt, ein methodisches
Volk wie wir, mußte mit der Reformation beginnen, konnte
erst hierauf sich mit der Philosophie beschäftigen, und
durfte nur nach deren Vollendung zur politischen Revolution übergehen. Diese Ordnung finde ich ganz vernünftig.
Die Köpfe, welche die Philosophie zum Nachdenken benutzt hat, kann die Revolution nachher zu beliebigen
Zwecken abschlagen. Die Philosophie hätte aber nimmermehr die Köpfe gebrauchen können, die von der Revolution, wenn diese ihr vorherging, abgeschlagen worden
wären. Laßt Euch aber nicht bange sein, Ihr deutschen
Republikaner; die deutsche Revolution wird darum nicht
milder und sanfter ausfallen, weil ihr die Kantsche Kritik,
der Fichtesche Transzendental-Idealismus und gar die Naturphilosophie vorausging. Durch diese Doktrinen haben
sich revolutionäre Kräfte entwickelt, die nur des Tages
harren, wo sie hervorbrechen und die Welt mit Entsetzen
und Bewunderung erfüllen können. Es werden Kantianer
zum Vorschein kommen, die auch in der Erscheinungswelt
von keiner Pietät etwas wissen wollen, und erbarmungslos,

mit Schwert und Beil, den Boden unseres europäischen Lebens durchwühlen, um auch die letzten Wurzeln der Vergangenheit auszurotten. Es werden bewaffnete Fichteaner auf den Schauplatz treten, die in ihrem Willens-Fanatismus, weder durch Furcht noch durch Eigennutz zu bändigen sind; denn sie leben im Geist, sie trotzen der Materie, gleich den ersten Christen, die man ebenfalls weder durch leibliche Qualen noch durch leibliche Genüsse bezwingen konnte; ja, solche Transzendental-Idealisten wären bei einer gesellschaftlichen Umwälzung sogar noch unbeugsamer als die ersten Christen, da diese die irdische Marter ertrugen, um dadurch zur himmlischen Seligkeit zu gelangen, der Transzendental-Idealist aber die Marter selbst für eitel Schein hält und unerreichbar ist in der Verschanzung des eigenen Gedankens. Doch noch schrecklicher als alles wären Naturphilosophen, die handelnd eingriffen in eine deutsche Revolution und sich mit dem Zerstörungswerk selbst identifizieren würden. Denn wenn die Hand des Kantianers stark und sicher zuschlägt, weil sein Herz von keiner traditionellen Ehrfurcht bewegt wird; wenn der Fichteaner mutvoll jeder Gefahr trotzt, weil sie für ihn in der Realität gar nicht existiert: So wird der Naturphilosoph dadurch furchtbar sein, daß er mit den ursprünglichen Gewalten der Natur in Verbindung tritt, daß er die dämonischen Kräfte des altgermanischen Pantheismus beschwören kann, und daß in ihm jene Kampfeslust erwacht, die wir bei den alten Deutschen finden, und die nicht kämpft, um zu zerstören, noch um zu siegen, sondern bloß um zu kämpfen. Das Christentum — und das ist sein schönstes Verdienst — hat jene brutale, germanische Kampflust einigermaßen besänftigt, konnte sie jedoch nicht zerstören, und wenn einst der zähmende Talisman, das Kreuz, zerbricht, dann rasselt wieder empor die Wildheit der alten Kämpfer, die unsinnige Berserkerwut, wovon die nordischen Dichter so viel singen und sagen. Jener Talisman ist morsch, und kommen wird der Tag, wo er kläglich zusammenbricht. Die alten steinernen Götter erheben sich dann aus dem verschollenen Schutt, und reiben sich den tausendjährigen Staub aus den Augen, und Thor mit dem Riesenhammer springt endlich empor und zerschlägt die gotischen Dome. Wenn Ihr dann das Gepolter und Geklirre hört, hütet Euch, Ihr Nachbarskinder, Ihr Franzosen, und mischt Euch nicht in die Geschäfte, die wir zu Hause in Deutschland vollbringen. Es könnte Euch schlecht bekommen. Hütet Euch, das Feuer anzufachen, hütet Euch, es zu löschen. Ihr könntet Euch leicht an den Flammen die Finger verbrennen. Lächelt nicht über meinen Rat, den Rat eines Träumers, der Euch vor Kantianern, Fichteanern und Naturphilosophen warnt. Lächelt nicht über den Phantasten, der im Reiche der Erscheinungen dieselbe Revolution erwartet, die im Gebiete des Geistes stattgefunden. Der Gedanke geht der Tat voraus, wie der Blitz dem Donner. Der deutsche Donner ist freilich auch ein Deutscher und ist nicht sehr gelenkig, und kommt etwas langsam herangerollt; aber kommen wird er, und wenn Ihr es einst krachen hört, wie es noch niemals in der Weltgeschichte gekracht hat, so wißt: Der deutsche Donner hat endlich sein Ziel erreicht. Bei diesem Geräusche werden die Adler aus der Luft tot niederfallen, und die Löwen in der fernsten Wüste Afrikas werden die Schwänze einkneifen, und sich in ihren königlichen Höhlen verkriechen. Es wird ein Stück aufgeführt werden in Deutschland, wogegen die französische Revolution nur wie eine harmlose Idylle erscheinen möchte. Jetzt ist es freilich ziemlich still: Und gebärdet sich auch dort der eine oder der andere etwas lebhaft, so glaubt nur nicht, diese würden einst als wirkliche Akteure auftreten. Es sind nur die kleinen Hunde, die in der leeren Arena herumlaufen und einander anbellen und beißen, ehe die Stunde erscheint, wo dort die Schar der Gladiatoren anlangt, die auf Tod und Leben kämpfen sollen.

Und die Stunde wird kommen. Wie auf den Stufen eines Amphitheaters werden die Völker sich um Deutschland herumgruppieren, um die großen Kampfspiele zu betrachten. Ich rate Euch, Ihr Franzosen, verhaltet Euch alsdann sehr stille, und bei Leibe! hütet Euch, zu applaudieren. Wir könnten Euch leicht mißverstehen und Euch, in unserer unhöflichen Art, etwas barsch zur Ruhe verweisen; denn wenn wir früherhin, in unserem servil verdrossenen Zustande, Euch manchmal überwältigen konnten, so vermöchten wir es noch weit eher im Übermute des Freiheitsrausches. Ihr wißt ja selber, was man in einem solchen Zustande vermag, — und Ihr seid nicht mehr in einem solchen Zustande. Nehmt Euch in acht! Ich meine es gut mit Euch, und deshalb sage ich Euch die bittere Wahrheit. Ihr habt von dem befreiten Deutschland mehr zu befürchten, als von der ganzen heiligen Allianz mitsamt allen Kroaten und Kosaken. Denn erstens liebt man Euch nicht in Deutschland, welches fast unbegreiflich ist, da Ihr doch so liebenswürdig seid, und Euch bei Eurer Anwesenheit in Deutschland so viel Mühe gegeben habt, wenigstens der bessern und schönern Hälfte des deutschen Volks zu gefallen. Und wenn diese Hälfte Euch auch liebte, so ist es doch eben diejenige Hälfte, die keine Waffen trägt, und deren Freundschaft Euch also wenig frommt. Was man eigentlich gegen Euch vorbringt, habe ich nie begreifen können. Einst, im Bierkeller zu Göttingen, äußerte ein junger Altdeutscher, daß man Rache an den Franzosen nehmen müsse für Konradin von Staufen, den sie zu Neapel geköpft. Ihr habt das gewiß längst vergessen. Wir aber vergessen nichts. Ihr seht, wenn wir mal Lust bekommen, mit Euch anzubinden, so wird es uns nicht an triftigen Gründen fehlen. Jedenfalls rate ich Euch, daher auf Eurer Hut zu sein. Es

N

mag in Deutschland vorgehen, was da wolle, es mag der Kronprinz von Preußen oder der Doktor Wirth zur Herrschaft gelangen, haltet Euch immer gerüstet, bleibt ruhig auf Eurem Posten stehen, das Gewehr im Arm. Ich meine es gut mit Euch, und es hat mich schier erschreckt, als ich jüngst vernahm, Eure Minister beabsichtigten, Frankreich zu entwaffnen. —

Da Ihr, trotz Eurer jetzigen Romantik, geborne Klassiker seid, so kennt Ihr den Olymp. Unter den nackten Göttern und Göttinnen, die sich dort, bei Nektar und Ambrosia, erlustigen, seht Ihr eine Göttin, die, obgleich umgeben von solcher Freude und Kurzweil, dennoch immer einen Panzer trägt und den Helm auf dem Kopf und den Speer in der Hand behält.

Es ist die Göttin der Weisheit.

NOTES

(In the case of passages censored in the first edition of *Der Salon*, the readings of the second edition are accepted. Some of the passages interpolated by Strodtmann from the original MS. are included and readings from the first edition of *Der Salon* are occasionally used in preference to those from the second edition. All important variations are indicated in the notes.)

PAGE 19

Revue des deux mondes: the work first appeared in instalments in this review, March to December 1834, under the title *De l'Allemagne depuis Luther*. See Alfred Schellenberg, *Heinrich Heines französische Prosawerke*, *Germ. Stud.*, Heft 14, (Berlin, 1921), pp. 21 ff. for information on the translation.

Zur Geschichte der neuren schönen Literatur: first German version of *Die Romantische Schule*. A French version appeared almost simultaneously in the periodical *L'Europe littéraire*.

Gesetz: Bundestag Decree of 5 July 1832 affecting foreign publications. See L. Geiger, *Das junge Deutschland und die preußische Zensur* (Berlin, 1900), pp. 15 ff. A later Decree, of 12 June 1834, ensured uniformity of practice in the various states.

PAGE 20

Verstümmelungen: See letter to Campe of 14 April 1852 (*Briefwechsel*, III, 266–7) for further comments on the revision of the text.

Brand zu Hamburg: the conflagration of May 1842. The missing manuscript was subsequently recovered and used by Heine's editor, Strodtmann.

PAGE 21

eine dieser Stellen: the concluding passage (pages 174–8 of this text).

Molé: Prime Minister under Louis Philippe (1836–9).

Meerkatzen: Cf. Goethe's *Faust*, Part I, "Hexenküche", l. 2450 ff.

Bundestagsdekrete: the decrees of 10 December 1835 directed against Young Germany.

PAGE 22

Deismus: Cf. page 122 where Heine refers to Kant's *Kritik der reinen Vernunft* as "das Schwert, womit der Deismus hingerichtet worden in Deutschland".

Anselm: Archbishop of Canterbury 1093–1109. He established the ontological proof of the existence of God. (See notes to page 134.)

Berliner Dialektik: the philosophical method associated with Hegel. Still a living force, its influence has not been restricted to the specialized field of philosophy but has affected most branches of knowledge. G. W. F. Hegel held the Chair of Philosophy at Berlin from 1818 to 1831, succeeding Fichte. He had previously been Privatdozent and professor extraordinarius at Jena, editor of the *Bamberger Zeitung*, Rector of the Nürnberg Aegidien-Gymnasium and Professor at Heidelberg. Principal works: *Die Phänomenologie des Geistes* (1807), *Wissenschaft der Logik* (1812–16), *Enzyklopädie der philosophischen Wissenschaften im Grundrisse* (1817), *Grundlinien der Philosophie des Rechts* (1821). See notes to page 168.

Der Türhüter der Hegelschen Schule: Heine obliterates the distinction between Hegel and his recalcitrant disciples, the *Junghegelianer*.

Ruge: Arnold. A leading *Junghegelianer*, part editor of the *Hallische Jahrbücher für deutsche Kunst und Wissenschaft*, the first volume of which contained an appreciation of Heine by Ruge, less hostile than the former makes out. Other publications of the school were the *Deutsche Jahrbücher* and the *Deutsch-französische Jahrbücher*, to which Heine was a contributor.

PAGE 23

Marx: Karl. Marx was in Paris from 1843 to 1845, collaborating with Ruge in the *Deutsch-Französische Jahrbücher*. An admirer of Heine's verse, he defended the poet against the charges of venality levelled against him in 1848. *Die deutsche Ideologie* (1846), by Marx and Friedrich Engels, available in an English translation

(*The German Ideology*, Parts I and III, edited by Roy Pascal, London, 1938) will be found a useful antidote to Heine.

Feuerbach: Ludwig. Noted for his criticism of religion and metaphysics—especially as developed in *Das Wesen des Christentums* (1841) and *Vorlesungen über das Wesen der Religion* (1851).

Daumer: Georg Friedrich. Speculative thinker who began as a critic of religion but ended as a Roman Catholic.

Bauer: Bruno. Leading *Junghegelianer* and radical critic of religion; dismissed from his post at the University of Bonn for his opinions.

Hengstenberg: Ernst Wilhelm. From 1828 onwards Professor of Theology in Berlin and foremost representative of Lutheran orthodoxy. Heine maliciously includes his name among the Young Hegelians.

PAGE 24

Romanzero: in the epilogue to his *Romanzero* (1851), Heine denounces atheism and pantheism, pays a quizzical tribute to the theosophist Swedenborg and proclaims his belief in a personal God and survival after death. (*Werke*, I, 483 ff.)

sie fräszen alte Kapuziner: in *Lutezia* (*Werke*, VI, 166) Heine quotes a Paris press report to this effect.

Titus Vespasianus: Roman Emperor, A.D. 79–81. Responsible during his father's reign for the sack of Jerusalem in A.D. 70.

PAGE 26

Ein jüdischer Priester: Heine quotes from the apocryphal Book, *The Wisdom of Jesus the Son of Sirach or Ecclesiasticus* (Revised Version, Chap. 24, Verses 23–9).

Philadelphus: Ptolemy II (Philadelphus), 309–246 B.C.

Meschalim: proverbs.

PAGE 27

Die Franzosen glaubten: the introduction varies in the different versions. In the *Revue des deux mondes*, a single short paragraph sufficed. In the later French versions, Heine justifies his exposition of German religion and philosophy as a necessary preparation for the study of German literature. After the passage: "Die Religion, deren wir uns in Deutschland erfreuen, ist das Christentum", the versions coincide.

PAGE 29

Samson: executioner during the French Revolution.

Baronius: Church historian, author of *Annales ecclesiastici a Christo nato ad annum 1198* (1588–93).

Schröckh: Johann Matthias. Austrian historian, author of *Christliche Kitchengeschichte* and *Kirchengeschichte seit der Reformation* (1768–1812).

PAGE 30

Mansischen Konziliensammlung: *Sacrorum conciliorum nova et amplissima collectio* (Florence and Venice, 1759–98), by Giovanni Domenico Mansi, Archbishop of Lucca.

Assemanischen Kodex: *Codex liturgicus ecclesiae universalis*, 1749–66, by Joseph Aloysius Assemani, Professor of Oriental Languages in Rome.

Saccharelli: *Historia ecclesiastica.* (Rome, 1771–5).

Logos: this ambiguous Greek term, which has analogies in Oriental systems of thought, originally expressed the idea of immanent reason in the world and later acquired importance in Christian and Hebrew dogma. In the Fourth Gospel, St. John, writing in the tradition of the Alexandrian school of philosophy, interprets Christ as the Logos become man. Cf. Goethe's *Faust*, Part I, "Studierzimmer", l. 1224 ff.

Homousios: "of one essence", or "of one substance"; the Council of Nicaea (A.D. 325), in formulating its creed, employed this term in relation to Christ to emphasize his affinity to the Father. Arius and his adherents, on the other hand, held views ranging from the doctrine of complete dissimilarity between Father and Son to that of *homoiousios* (of similar essence), the whole controversy thus, in some degree, hanging upon a diphthong.

Investitur: the right of investiture, i.e. the formal recognition of Bishops, was a lasting subject of contention between Empire and Papacy. Of note are the disputes in the twelfth century between Pope Gregory VII and the Emperor Henry IV and between Anselm and Henry I of England.

Eudoxia: Eudocia Augusta (*c.* A.D. 401–60), wife of Theodosius II, East Roman Emperor.

Pulcheria: sister of Theodosius and co-Empress.

Nestorius: Patriarch of Constantinople, A.D. 428–31. Noted for his attack upon the prevalent custom of entitling Mary "Mother of God".

Cyrillus: Bishop of Alexandria and opponent of Nestorius,

whose defeat he secured in the controversies involving Pope
Celestine I and Theodosius.

als seine Legionen gefallen: Cf. *Die Nordsee* (*Werke*, III,
93) where the same words are used.

PAGE 31

Isidorschen Dekretalen: spurious decretals (Papal letters
formulating decisions in ecclesiastical law) interpolated into the
canonical collection in use in Spain in the eighth century. The
author assumed the name of Isidore of Seville (*c.* 570–636), the
celebrated Spanish encyclopaedist and historian.

Manichäer: Manichaeism, the religion of Mani the Persian,
was remarkable for its rigid dualism, based on the antithesis light-
darkness, and for its asceticism. It flourished in the fourth century and influenced Christian dogma, being the underlying cause
of heresies such as the Albigensian which held that two funda-
mental principles of good and evil exist.

Gnostiker: the Gnostic sects flourished in the late second
century and were later absorbed by Manichaeism. Gnosticism
was also based upon an Oriental dualism and assumes the material
world to be the seat of evil. It also gave rise to notable heresies
in the Christian Church. The influence of Gnosticism on Christianity was a much-discussed subject in the early nineteenth
century.

Cerinthus: associated with one of the early Gnostic sects.
The views attributed to him by Heine were widespread; it was
held, for example, that the world was the creation of seven powers
or angels (sometimes merged in one Demiurge), who were considered an emanation of the Godhead, one of them being Jehovah.

PAGE 32

wie eine ansteckende Krankheit: omitted in the French
versions.

PAGE 33

Die Menschheit ... Mühe geben: deleted from the first
German edition by Campe or the censor.

Vielleicht eben ... Mühe geben: omitted in the second
French edition.

PAGE 34

Das endliche Schicksal ... bedürfen: translated in the

second French edition as: "La durée des religions a toujours dépendu de leur nécessité".

Die Geschichte von der Baseler Nachtigall: a paraphrase of the version in Fr. Ldw. Ferd. von Dobeneck, *Des deutschen Mittelalters Volksglauben und Heroensagen, herausgegeben und mit einer Vorrede begleitet von Jean Paul* (Berlin, 1815). Dobeneck's source was Heinrich Kornmann, *Templum naturae historicum* (1611), but the tale is of much earlier origin. Heine embellishes it in order to illustrate his thesis, for in the original the bird is represented as a damned soul, awaiting judgment, which on being conjured flies off with the cry: "O quam diuturna et immensa est aeternitas." (Johannes Manlius, *Locorum communium collectanea* (Basel, 1563), I, 37.)

Zur Zeit des Konzils: the council of Basel was the third of the great reforming Councils of the fifteenth century, the others being the Councils of Pisa and Constance.

Annaten, Exspektativen und Reservationen: Annates represented the first year's profits of a benefice, payable into the Papal treasury; "Expektativen" refer to the reversion of spiritual offices and "Reservationen" probably to the right, reserved to the Pope, of appointing to a benefice.

Thomas von Aquino: Thomas Aquinas (*c.* 1225–74), the Dominican theologian and philosopher. He was a friend of, but differed in doctrine from, the Franciscan theologian Bonaventura (John of Fidanza).

Adjuro te: as given in Manlius: adjuro te in nomine Christi, ut indices nobis, qui sis.

Tanhüser: archaic form. Cf. *Elementargeister* (*Werke*, IV, 433 ff.) where the text of the Tannhäuser ballad appearing in *Des Knaben Wunderhorn* is given in full. The excerpt here is from verse 12. Heine quotes the same couplet in a letter to Rudolf Christiani of 29 February 1824. (*Briefwechsel*, I, 294.) Heine's own version, *Der Tannhäuser: Eine Legende*, will be found in *Werke*, I, 245 ff.

Diana: Cf. *Atta Troll*, *Kaput* 19 (*Werke*, II, 394 ff.). Dobeneck, op. cit., Vol. I, Chap. 2, speaks of Diana in a chapter entitled

"Das wüthende Heer", which may have induced Heine to overestimate the extent of the transformation. In classical antiquity, Diana, Artemis and Hecate were frequently confused.

Der Nationalglaube in Europa: See Georg Mücke, *Heinrich Heine's Beziehungen zum deutschen Mittelalter* (Berlin, 1908), pp. 125 ff. for Heine's tendency to anachronism.

PAGE 38

Daher hat sich bei Euch, in Frankreich: Heine charitably underestimates the grimmer aspects of French mythology. Cf. *Die Romantische Schule* (*Werke*, V, 323 ff.) and Mücke, op. cit., p. 118.

PAGE 39

Melusine: the legends connected with the water-sprite Melusina are of Celtic origin and were collected by Jean d'Arras towards the close of the fourteenth century.

Chahüt: the cancan.

echtberliozsche Sabbathmusik: Heine was an admirer of Berlioz who was at the height of his powers in the thirties. Cf. *Über die französische Bühne*, Tenth Letter (*Werke*, IV, 557), where he gives an appreciation of what appears to be Berlioz's *Huit Scènes de Faust*.

Dämonologie: *Daemonolatria, das ist von Unholden und Zauber-Geistern*, by Nicolai Remigius. (Frankfurt, 1598.) Heine may only have known this work through Dobeneck, who uses it freely. Remigius, op. cit., Part I, p. 74, claims responsibility for burning six hundred witches.

PAGE 40

Poltergeister: not a specifically German phenomenon, as Heine seems to assume. Cf. Hermann Schneider, *Germanische Altertumskunde* (Munich, 1938), pp. 226–7, where the relation of such house-spirits to ancestor-worship is discussed.

Prätorius: *Anthropodemus plutonicus* (Magdeburg, 1666–7). The reference in Dobeneck, op. cit., is I, 133 ff.; in Prätorius, op. cit., Vol. I, Part I, pp. 363 ff.

PAGE 41

lieb Chimgen: in Prätorius, Court Chiemgen; in Dobeneck's note, lieb Joachimgen.

PAGE 42

folgende kleine Erzählung: from Dobeneck, op. cit., I, 136 ff.

einer alten Chronik: from Dobeneck, op. cit., I, 127 ff. Dobeneck's source was the *Chronik des Klosters Hirsau* by the Benedictine historian Johannes Trithemius (1462–1516).

PAGE 44

Andersen: Hans Christian. He visited Paris in 1833 and made Heine's acquaintance.

PAGE 45

altgermanische Nationalreligion: Cf. Hermann Schneider, *Die Götter der Germanen* (Tübingen, 1938), Part I, Chap. V, pp. 43 ff., and *Germanische Altertumskunde*, pp. 31 ff., where the process of *Entgötterung* and conversion to Christianity is discussed.

PAGE 47

Leo X: Giovanni de' Medici. Pope from 1513 to 1521. A notable patron of the arts—in particular of Raphael—and of Greek learning. His way of life was robust—his passion for the chase earning for him the title of "Leo Decimus, that hunting Pope" in Burton's *Anatomy of Melancholy*—but there is no evidence to substantiate Heine's charge of sexual indulgence. Cf. *Die Romantische Schule* (*Werke*, V, 227), where Leo is cited as an example of the dawn of "Sensualism".

PAGE 48

Tetzel: Johann. In 1517 the activities of this itinerant salesman of indulgences, then in the service of Archbishop Albrecht of Mainz, provoked Luther's famous theses. See notes to page 49.

Polizian: (Poliziano) Angelo. A member of Lorenzo de' Medici's household, one of Leo's tutors and a distinguished member of the University of Florence.

PAGE 49

jene Pyramide: the third pyramid of Gizeh. According to Herodotus, Rhodopis, the celebrated Greek courtesan of the sixth century B.C., contributed to its cost.

Spiritualismus . . . Sensualismus: Heine's terminology is confusing and in his arbitrary interpretation of accepted terms he is influenced by the vocabulary of the Saint-Simonians. He explains his use of the terms on pages 50 and 75 ff. Cf. *Die Romantische Schule* (*Werke*, V, 217–18) where he equates Christianity with "absolute spiritualism" and interprets mediaeval art as "Bewältigung der Materie durch den Geist".

31. Oktober 1517: On the eve of the Wittenberg Church Festival in 1517, Luther, in his role as a member of the university and following normal practice, displayed publicly a Latin announcement, enunciating his theses on indulgences and inviting discussion. The title was: *Disputatio pro declaratione virtutis indulgentiarum.*

PAGE 50

Ich habe mich oben . . . vindizieren sucht: does not appear in the *Revue des deux mondes* and in the later French versions appears in modified form. In these, Heine interpolates at this point in his argument part of the elucidation of his terminology which, in the German version, appears on page 75 ff.

Auf obige Anfänge . . . geltend machen: in the French versions, the reference to Bossuet is omitted and greater stress laid on the misunderstanding of the Reformation current in France.

Bossuet: Bishop of Meaux, the great Gallican divine and orator. The reference is to his main polemical work: *Histoire des variations des Églises Protestantes* (1688).

PAGE 51

Königin von Navarra: Marguérite d'Angoulême, Queen of Navarre. *L'Heptaméron des nouvelles de la Reine de Navarre* first appeared under this title in 1559.

Le ciel défend: *Tartuffe*, Act iv, Sc. 5.

PAGE 52

Jansenismus . . . Jesuitismus: the opposition between the Jesuits and the followers of Cornelius Jansen centred around the doctrine of divine grace and the practice of casuistry. Jansen, following St. Augustine's doctrine of grace, preached the necessity of drastic moral reform. John Wesley held a doctrine of grace derived from the Dutch theologian Arminius which was absorbed into the dogma of the Methodist church.

PAGE 53

Jan van Leiden: Jan Beuckelszoon, the celebrated Anabap-

tist. A native of Leyden, he came to Münster where he established a kingdom of his own, introducing a form of polygamy and
of primitive communism. He was executed after the activities of
the Anabaptists had led, in 1535, to armed intervention on the
part of the Church.

PAGE 54

Anno 1521: in January 1521, Leo X issued his Bull of excom-
munication against Luther and called upon the Emperor Charles V
to execute it. Luther was summoned to appear, under Imperial
safe-conduct, before the Diet which met at Worms in January
and continued until May 1521, making his celebrated profession
of faith on 18 April.

ein junger Kaiser: Charles V, then twenty-one years old.

der stolze Römer: Leo X.

der Repräsentant: Aleander, the Papal Nuncio.

PAGE 55

Herzog von Braunschweig: Ernst, Herzog von Braun-
schweig-Luneburg (1497–1546).

PAGE 56

Wer nicht liebt Wein, Weiber und Gesang: although frequently attributed to Luther, this couplet is, in fact, of much
later origin and is attributed to Johann Heinrich Voss by Georg
Büchmann (*Geflügelte Worte*).

PAGE 57

Jung Stillings Gespensterlehre: Johann Heinrich Jung
genannt Stilling: *Theorie der Geisterkunde* (Nürnberg, 1808).

Erasmus: Desiderius Erasmus Roterodamus (*c.* 1466–1536).
Although his edition of the New Testament and his condemna-
tion of clerical abuses were indirect contributions to the Reformation, Erasmus avoided openly taking sides with either party.

Melanchthon: Philipp Schwartzerd or Melanchthon (1497–
1560). One of the ablest members of the reforming party, he was
distinguished by his conciliatory attitude.

Bonifaz: St. Bonifacius (the Anglo-Saxon, Winfrith of Credi-
ton, *c.* 680–755), Archbishop of Mainz and responsible for the
evangelization of the Rhineland.

PAGE 58

das judäisch deistische Element: Cf. page 85, where the
Jews are termed "die Schweizergarde des Deismus".

Bosko: A conjurer of European repute in the early nineteenth century.

Père Olinde: Benjamin-Olinde Rodrigues, the leading economic theorist among the Saint-Simonians.

Salle-Taitbout: one of the Saint-Simonian meeting-places, in the Rue Taitbout, Paris.

PAGE 61

Marquis von Brandenburg: Markgraf Albrecht zu Brandenburg (1490–1557). Reformer of Prussia and founder of Königsberg University.

Seitdem freilich ... zu treten: deleted by the censor or by Campe in the first German edition.

Doktor Hoffmann: a Hamburg censor.

PAGE 62

und was gölte ... weichen: deleted from the first German edition by Campe or the censor.

PAGE 63

Konsistorien: the term, now almost exclusively applied to meetings of the College of Cardinals, applied in Protestant Germany to the governing body of the *Landeskirche*.

PAGE 64

die Vulgata: St. Jerome's Latin version of the Bible. His translation of the Old Testament was based on Hebrew texts; that of the New Testament on an older Latin version.

die Septuaginta: the oldest Greek version of the Old Testament, compiled by various hands in the second and third centuries B.C.

Reuchlin: Johannes. Outstanding Greek and Hebrew scholar of his age; noted for his *De Rudimentis Hebraico* (1506), a grammar and lexicon of Hebrew. On the incentive of the baptized Jew, Pfefferkorn, supported by the Dominicans of Cologne, representations were made to the Emperor Maximilian that Hebrew writings should be suppressed. Reuchlin, as the leading Hebraist of the time, was asked by the Archbishop of Mainz for an opinion and advised against their suppression (1510).

Hochstraaten: Jakob van Hoogstraten, Dominican Prior and Arch-Inquisitor, a leading figure in the above controversy. Cf. *Geständnisse* (*Werke*, VI, 58) for Heine's later comments.

Hutten: Ulrich von Hutten, the Franconian knight, satirist, humanist and champion of Protestantism.

litteris obscurorum virorum: in 1514 Reuchlin published his *Epistolae clarorum virorum*, in which eminent contemporaries defended his cause. *Epistolae obscurorum virorum*, which appeared anonymously from 1515 to 1517, ostensibly written by Reuchlin's theological opponents, were a humanistic satire by his friends; the authorship is still uncertain but the hand of Hutten is clear at least in the second series.

ego nihil timeo . . .: the actual phrasing in Luther's letter of 14 December 1518 is: "ego perdere nihil possum, quia nihil habeo."

PAGE 65

Wie aber Luther . . .: The basis of Luther's German was in fact the spoken Middle German of his time with the added influence of the Saxon electorate on his choice of sounds and inflexions. Cf. R. Priebsch and W. E. Collinson, *The German Language* (London, 1934), pp. 344 ff., and Carl Franke, *Grundzüge der Schriftsprache Luthers* (Halle, 1913).

gänzlich untergegangen: Heine refers, in exaggerated terms, to the decline of Middle High German courtly literature after 1200.

Adelung: Johann Christoph. Lexicographer and grammarian, noted for his *Grammatisch-Kritisches Wörterbuch der hochdeutschen Mundart* (first edition 1774–86).

PAGE 66

Dieser Umstand . . . biblisch sein: deleted by the censor or by Campe in the first German edition.

Danton, ein Prediger des Berges: Danton was, with Robespierre and Marat, a leader of the "parti montagnard" in the Convention.

PAGE 67

Traktat über diese Kunst: *Encomium musices* (1538).

Schwan von Eisleben: a term applied by Luther to himself, with reference to a prophecy of Huss.

jener trotzige Gesang: it is doubtful if the hymn, which was not printed until 1529, was written as early as 1521.

PAGE 68

Hans Sachs: Heine also treats him ironically in *Die Roman-*

tische Schule (*Werke*, V, 293) and in the poem *Simplizissimus I* (*Werke*, II, 189).

PAGE 69

der neueren Zeit zu betrachten: in the French versions the first book ends here (one short sentence being added in the *Revue des deux mondes* by way of transition to the second book).

Die Behandlung . . .: similar arguments will be found in *Die Romantische Schule* (*Werke*, V, 223 ff.). Cf. also the essay *Die Romantik* (*Werke*, VII, 150–1).

PAGE 73

Baco: Francis Bacon, Lord Verulam. Author of *Novum Organum or True Suggestions for the Interpretation of Nature* (1620).

Descartes: René. Best known for his *Discours de la méthode pour bien conduire sa raison et chercher la vérité dans les sciences* (1637).

PAGE 74

Holland: Descartes took refuge in Holland in 1629.

Trekschuiten: barges.

PAGE 75

sechs Jahrhunderte: philosophy was dominated by the Schoolmen approximately from the ninth to the fifteenth century.

Erst 1663: all Descartes' writings were placed on the Index on 20 November 1663. His doctrines had previously been condemned by the (reformed) Synods of Dordrecht and Delft in 1656 and 1657.

Spiritualismus und Sensualismus: see note to page 49. Heine pairs off his philosophical terms in unorthodox fashion. He defines in the following paragraphs the epistemological antithesis empiricism-rationalism, equating it however with the antithesis spiritualism-sensualism. Spiritualism is strictly a metaphysical term implying that mind is the absolute reality while sensualism (sensationalism) is an epistemological term implying that all knowledge originates in sensations. Heine further confuses the issue by introducing the antithesis idealism-materialism in connection with the nature of knowledge. Idealism, an epistemological term, should strictly be opposed to realism while materialism, a metaphysical term, should be opposed to spiritualism.

PAGE 76

Auch diese . . . Spiritualismus und Sensualismus :
Appears in original MS but erased by Heine himself and insert-
ed later in modified form. See page 94.

PAGE 78

Locke: John. Founder of English Empiricism. In his *Essay
on human understanding* (1690), he rejects innate ideas and makes
sensation aided by reflexion the source of knowledge.

Condillac: Etienne Bonnot Mably de. Author of *Traité des
sensations* (1754) in which Locke's modified sensationalism is
developed into a system which dominated French thought for
many years.

Helvetius: Claude-Arien. Encyclopedist and author of *De
l'Esprit* (1758). Primarily concerned with ethics, he postulated
self-interest as the mainspring of action and influenced the
English Utilitarians.

Holbach: Paul Henri Thery, Baron d'Holbach. Encyclopedist
and materialist, best known for his *Système de la Nature* (1770).

La Mettrie: Julien Offroy de. Doctor and materialist philosopher. *L'homme machine* was written in 1748.

PAGE 79

Deismus: Deism has been defined as "the form of theism
which separates God from the world, in the sense of denying that
the concept of God includes in whole or part the concept of the
world".

die Benthamisten: Jeremy Bentham (1748–1832), jurist and
moral philosopher, tutelar genius of University College, London,
is called by Sir Leslie Stephen "the patriarch of the English
Utilitarians". A leading Philosophical Radical, his best-known
work was perhaps his *Introduction to the Principles of Morals and
Legislation*, first published 1789. Among the influences on his
thought, Locke and Helvetius were prominent.

Ja es ist . . . Blätter lesen: this passage appeared in neither
the first nor the second edition of *Der Salon* but is contained in
the original manuscript.

PAGE 80

Leibnitz: Gottfried Wilhelm von Leibnitz, distinguished
equally as philosopher and mathematician, a pioneer in the field
of comparative philology and a reformer of the German language.

Noted for his attempts to reconcile the Roman and Reformed Churches.

nouveaux essais: *Nouveaux Essais sur l'Entendment humain* (1704), a dialogue in which Leibnitz contrasts his views with those of Locke, expressing his conviction that the essence of the world can be reconstructed by thought rather than by the accumulation of empiric data.

Monadenlehre: in *La Monadologie* (1714), Leibnitz revises the Cartesian doctrine of substance and postulates the existence of an infinite variety of individual substances, to which he gives the name of monads, a term given currency in modern philosophy by Giordano Bruno. The relation between body and soul is explained by the doctrine of pre-established harmony.

Naturphilosophen: the doctrine of the monad was again taken up by Schelling in his *System des transzendentalen Idealismus* (1800).

Theodizee: Theodicée. *Essais de Theodicée sur la Bonté de Dieu, la Liberté de l'homme et l'Origine du Mal* (1719). Leibnitz attempts here to reconcile reason and faith and to justify evil.

PAGE 81

Plato und Aristoteles: Cf. page 100, where the dualism is further elaborated. Friedrich Schlegel had the theory, often quoted by Coleridge, that every man was born a Platonist or an Aristotelian.

PAGE 83

Pietisten und Orthodoxen: see note to pages 100 ff.

Christian Wolf: see note to page 96.

Spinoza: Baruch (Benedict) de. A Jew of Amsterdam, member of a colony of Portuguese exiles, he formulated a type of Pantheism particularly attractive to Goethe and strongly influencing the philosophy of Schelling.

PAGE 84

die herbe Schale a favourite metaphor of Heine. Cf. *Nathan der Weise*, Act II, Sc. 5, l. 1195 ff.:

> Die Schale kann nur bitter seyn; der Kern
> Ists sicher nicht.

PAGE 85

Exkommunikation des Spinoza: this took place on 6 August 1656.

o

Maimon: Salomon. Jewish philosopher, author of *Salomon Maimons Lebensgeschichte. Von ihm selbst geschrieben und herausgegeben von K. Ph. Moritz* (Berlin, 1792–3), from which the anecdote is taken.

Vater seiner Geliebten: Franz van den Enden, one of Spinoza's teachers, was beheaded in Paris, not in Holland, in 1674 for complicity in a conspiracy to raise rebellion in Normandy. There is no evidence that Spinoza was in love with his daughter, Clara Maria van Enden.

PAGE 86

Tractatus politicus: Spinoza composed this work shortly before his death but failed to complete it. In it he attacks the absolutism of Hobbes and proclaims the virtues of a free commonwealth.

Ethik: *Ethica ordine geometrico demonstrata*, published posthumously in 1677.

Non dico: Heine quotes from a letter of Spinoza to Boxel of October 1674. The passage as translated in A. Wolf, *The Correspondence of Spinoza* (London, 1927), p. 289, Letter LVI, runs: "Here also it should be noted that I do not say that I know God entirely, but only that I understand some of His attributes, though not all, nor even the greater part of them, and it is certain that our ignorance of the majority of them does not hinder our having a knowledge of some of them."

PAGE 87

natura, naturans: a distinction was common in mediaeval philosophy between *natura naturans* (creative nature) and *natura naturata* (created nature). Spinoza adopted these scholastic terms to express the antithesis between unconditioned substance and the system of conditioned and dependent realities which follow from it. See A. Wolf, op. cit., p. 392.

Madame Du Deffand: in a letter of 3 April 1769, Voltaire quotes her as writing: "les choses que ne peuvent nous être connues ne nous sont pas nécessaires". (*Correspondance complète de la Marquise Du Deffand*, Paris, 1865, I, 560.)

der deutschen Identitätsphilosophie: the term is applied in particular to the metaphysical theory developed by Schelling in his second phase. He concludes that object and subject, nature and mind, real and ideal are one in the absolute which is the identity or indifference of both. In the previous sentence Heine plays upon the famous statement of Schelling in his *Ideen zu einer Philosophie der Natur*: "die Natur soll der sichtbare Geist, der Geist die unsichtbare Natur seyn".

Herr Schelling dagegen: a reference to a passage in Schelling's *Philosophische Untersuchungen über das Wesen der menschlichen Freiheit und die damit zusammenhängenden Gegenstände* (1809).

PAGE 88

Pantheismus: the strict meaning of the concept is that God is All and All is God, the world being regarded as a mode or limitation of the Absolute. In *Die Romantische Schule* (*Werke*, V, 352 ff.) Heine analyses the particular type of Pantheism professed by the Saint-Simonians.

ist alles, was da ist: a quotation from Enfantin. (*Œuvres de Saint-Simon et d'Enfantin*, XIV, 116.)

PAGE 90

Nicht blosz ... der Völker: appears in neither edition of *Der Salon* but occurs in the original manuscript. The same applies to the words "den sieben Blutsäufern" and "denn sie wissen, wir lieben dieses Gift", which occur later.

PAGE 91

einige Priester: a reference to, among others, Hugues Félicité Robert de Lamennais, an exponent of theocratic democracy, who ended as an aggressive republican. He is best known for his *Paroles d'un croyant* (1834), translated by his admirer Börne.

in unsere Reihen: in the French editions, the sentence is discreetly rounded off at this point.

PAGE 92

Da ist wahrlich ... entlastet: interpolated from the original manuscript.

Rehabilitation der Materie: the chief tenet of the Saint-Simonian religion.

Purusa ... Prakriti: the terms are derived from the Sankhya philosophy, the oldest of the orthodox Brahmin systems; the dualism prakrti (primitive matter) and purusa (soul) was taken over into Buddhism.

PAGE 93

Die politische Revolution ... geschöpft haben: interpolated from the original manuscript. The passage does not appear in either edition of *Der Salon*.

PAGE 94

Saint-Just: Antoine Louis Léon de. Member of the Committee of Public Safety and associate of Robespierre, with whom he died on the scaffold.

Narr des Shakespear: Sir Toby Belch in *Twelfth Night*, Act II, Sc. 3: "Dost thou think, because thou art virtuous, there shall be no more cakes and ale?"

PAGE 95

Er erhält ... manches andere: interpolated from the original manuscript. The passage does not appear in either edition of *Der Salon*.

Jacobi: Friedrich Heinrich. He stimulated Goethe's interest in Spinoza and considered Spinozism the logical consequence of all philosophical thought but believed that it must be refuted in the interest of faith. (*Ueber die Lehre des Spinoza in Briefen an Herrn Moses Mendelssohn*, 1785, and *Wider Mendelssohn's Beschuldigungen betreffend die Briefe über die Lehre des Spinoza*, 1786.)

PAGE 96

Christian Wolf: Johann Christian von. He popularized a modified form of the philosophy of Leibnitz, was largely responsible for making philosophy an independent university discipline in Germany and inspired a school of theology. In 1723 he was removed by Frederick William I from his post as Professor of Mathematics and Natural Philosophy in Halle after complaints by the Pietists but was recalled by Frederick II on his accession in 1740.

Johannes Tauler: 1290–1361. One of the greatest mediaeval preachers, whose sermons remained popular for centuries. A disciple of Eckhart, whose quietism, however, he did not share.

PAGE 97

Paracelsus: Theophrastus Bombast von Hohenheim (1493–1541). Itinerant doctor and natural philosopher of the German Renaissance. Paracelsus, a Swiss, wrote and lectured in German, his works being later translated into Latin. His thought was influenced by neo-Platonism and by the study of the Kabbala and his medical theory was based on the relation of man to nature as a whole.

PAGE 98

Böhm: Jakob Boehme (1575–1624). Protestant mystic and master-shoemaker of Görlitz. He was concerned to show the identity of material and moral forces and his doctrines had repercussions on the natural philosophy of the Romantics. Cf. *Die Romantische Schule* (*Werke*, V, 292 ff.).

Saint-Martin: Louis Claude Saint-Martin translated several of Boehme's works in 1800.

die Engländer: the first English translation was by John Ellistone and John Sparrow (1644–62). That known as "Law's translation" was a version made after the death of William Law, a devotee of Boehme, by George Ward and Thomas Langcote, in tribute to his memory (1676–84). See F. de la Motte Fouqué's *Jacob Böhme: Ein biographischer Denkstein* (1831), pp. 133 ff. for Charles I's interest in Boehme.

PAGE 99

der Leibnitzischen Philosophie: Wolff abandoned the term "monad" and used instead *atomi naturae*. He also discarded or transformed the Leibnitzian doctrines of pre-established harmony and sufficient reason.

PAGE 100

Spener: Philipp Jakob (not Johannes). Chief inspiration of the Pietist movement. In 1666 he became chief Lutheran pastor in Frankfurt-am-Main, in 1686 Court Chaplain in Dresden, in 1691 Rector of the *Nikolaikirche* in Berlin. Author of *Pia Desideria* (1675) and *Das geistliche Priesterthum* (1677).

Scotus Erigena: ninth-century theologian. He took over into his doctrine the neo-Platonic and mystical writings, composed in the fifth century, and ascribed to Dionysus Areopagita, the "first Bishop of Athens".

colloquia pietatis: in error for *collegia pietatis*. Spener started this assembly of believers for discussion of the Scriptures in Frankfurt in 1670.

PAGE 101

Francke: August Hermann. Professor of Greek and Oriental languages in Halle and Spener's close associate. Founder of the Francke'sche Stiftungen in Halle, which included an orphanage.

Die Universität Halle: founded in 1694 by the Elector Friedrich III of Brandenburg and from the beginning the centre of Pietist activity.

Taupinière: mole-hill; hovel. It has been suggested, without much justification, that Heine in fact means *pepinière* (forcing-bed).

In meinen jetzigen religiösen Überzeugungens: at this point in the French editions, Heine proclaims at greater length his former allegiance to and present sympathy for Protestantism.

die Ihr keinen Begriff . . . Vergeben bedeutet beides: deleted by Campe or the censor in the first edition of *Der Salon*.

PAGE 102

evangelischen Kirchenzeitung: the organ of orthodox Lutheranism, founded in 1827 by Hengstenberg.

PAGE 103

Pangloss: preceptor of the hero of Voltaire's *Candide, ou l'Optimisme* (1759) in which the optimism of Leibnitz is pilloried.

schweigenden Gewalt: in the opening scene of Aeschylus' *Prometheus Bound*, Bia, the personification of violence, remains silent while her companion Kratos (Might) heaps insults upon Prometheus.

Sobald die Religion . . . aufrecht erhaltens: interpolated from the original manuscript. The passage does not appear in either edition of *Der Salon*.

PAGE 104

Medea: a reference to Ovid, *Metamorphoses*, Book VII.

Semler: Johann Salomo. A leading theological rationalist in the latter half of the eighteenth century. For many years Professor of Theology in Halle.

Teller: Wilhelm Abraham. From 1767 onwards *Oberkonsistorialrat* and preacher in Berlin.

PAGE 105

Bahrdt: Karl Friedrich. Eccentric rationalist and Professor of Theology who ended as an inn-keeper.

Salomo des Nordens: a reference to Voltaire's ode *Au Roi de Preusse, sur son avènement au trône* (1740), in which Frederick is termed "le Salomon du Nord".

Poeten und Philosophen: the French versions cite the passage from the text of the Vulgate which refers to *aurum et argentum et dentes elephantorum et simias et pavos*.

Gellert: Christian Fürchtegott. Author of the popular *Fabeln und Erzählungen* (1736–48). His interview with Frederick the

Great on 18 December 1760 has passed into history. Frederick judged him "le plus raisonnable des savants allemands".

Nicolai: Christoph Friedrich. Berlin bookseller and vigorous apostle of rationalism in literature. Founded the *Allgemeine Deutsche Bibliothek* in 1765 and directed it until 1806.

PAGE 106

Satire gegen dessen "Werther": *Freuden des jungen Werthers. Leiden und Freuden Werthers des Mannes. Voran und zuletzt ein Gespräch.* (Berlin, 1775.)

PAGE 107

folgendes Urteil: Letter to Eschenburg, 26 October 1774. (*Briefe von und an Gotthold Ephraim Lessing, hrsg. Franz Muncker*, Leipzig, 1907, II, 116.)

eine solche: "Such a possession by desire as leads one to venture upon some course that is contrary to nature."

PAGE 109

Justemilieu: the slogan of Louis Philippe's régime.

Mendelssohn: Moses. Associated with Lessing and Nicolai in the *Litteraturbriefe* and later with the *Allgemeine Deutsche Bibliothek*. Always active on behalf of his Jewish co-religionists, he translated the books of Moses, the Psalms and the Song of Songs into German. Now remembered mainly for his *Phädon* (1767), a popular treatise on the immortality of the soul.

Sulzer: Johann Georg. Aesthetician, author of *Allgemeine Theorie der schönen Künste* (1771-4).

Abbt: Thomas. Popular philosopher and historian, associated with the *Litteraturbriefe* and author of *Vom Tode fürs Vaterland* (1761) and *Vom Verdienste* (1765).

Moritz: Karl Philipp. Pedagogue and writer on aesthetics and psychology, befriended by Goethe. His autobiographical novel, *Anton Reiser: Ein psychologischer Roman* (1785-90), is a landmark in the history of German eighteenth-century culture. His *Magazin zur Erfahrungsseelenlehre* (1785-93) appeared from 1783 to 1795.

Garve: Christian. Popular philosopher, critic and translator of English and Scottish works, including those of Adam Smith.

Engel: Johann Jakob. Berlin schoolmaster, critic and novelist, now remembered for his family novel, *Lorenz Stark* (1801).

PAGE 110

den Talmud: the "Teaching" or "Learning", the book containing the Jewish traditions with commentaries and glosses made from the beginning of the third to the end of the fifth century.

PAGE 111

Rothschild: James de Rothschild, a patron of Heine, took a large part in the development of the French railways, and was one of the last members of the family to wield financial power on a large scale.

sein Freund Lessing: Mendelssohn's last work was *Moses Mendelssohn an die Freunde Lessings* (1786), his efforts to secure its publication causing his final illness. The attacks on Lessing resulted from the revelations made in Jacobi's controversy with Mendelssohn. See notes to page 95.

PAGE 112

In der Trübnis . . . Morgenrot: interpolated from the original manuscript. The passage does not appear in either edition of *Der Salon*.

PAGE 113

Klotz: Christian Adolf. Professor of Classical Philology in Halle. Attacked by Lessing in *Briefe antiquarischen Inhalts* (1768).

PAGE 114

Das schöne Wort Buffons: Buffon used the phrase, "le style est l'homme même" in his Academy *discours de réception* in 1753.

PAGE 115

Meine Freude: Letter to Eschenburg of 31 December 1777. (*Briefe*, II, 259.)

PAGE 116

der Prophet: a reference to *Die Erziehung des Menschengeschlechts* in which Lessing develops the doctrine of the three ages of Mankind.

PAGE 117

O sancta simplicitas: quoted from *Eine Parabel, Nebst einer kleinen Bitte, und einem eventualen Absagungsschreiben an den Herrn Pastor Goeze in Hamburg* (1778). The passage is from the *Absagungsschreiben*.

PAGE 118

21 Januar: Louis XVI was executed on 21 January 1793.

PAGE 120

die Sage: Mary Wollstonecraft Shelley's *Frankenstein* (1818).

PAGE 121

Der Gedanke will Tat: Cf. Deutschland. *Ein Winter-märchen*, Kaput VI (*Werke*, III, 445) in which Heine is visited by an apparition announcing itself as "die That von deinem Gedanken".

Dieses merkt Euch . . . Welt zu kommen: omitted from the French editions.

Rousseau: Cf. *Französische Zustände, Beilage zu Artikel* VI (*Werke*, V, 166), where Robespierre is called "die Inkarnation Rousseaus".

Fontenelle: Bernard le Bovier de. Best known for his *Entretiens sur la pluralité des Mondes* (1686) and his *Éloges des Académiciens* (1708).

PAGE 122

Ich bin der Krankste: Heine had a strong sense of his own morbidity. Cf. *Reisebilder, Die Stadt Lucca* (*Werke*, III, 394) for his conception of the world as "ein grosses Lazareth".

Kant: Immanuel. From 1770 onwards Professor of Philosophy in Königsberg. Kant called his philosophy critical and transcendental in contrast, on the one hand, to Berkeley and Leibnitz, on the other to Hume and Locke, and set himself the task of examining the conditions under which experience is possible. His influence on German ethics, aesthetics and culture in general was profound.

Kritik der reinen Vernunft: Cf. preface to the second edition (page 22) where Heine retracts his claim that Deism had been destroyed.

PAGE 123

Rue Saint-Honoré: From July 1791 to his death, Robespierre lived in the house of one of his disciples in the Rue Saint-Honoré.

PAGE 124

erschien 1781: only after the publication of the second edition in 1787 was public attention drawn to Kant's work.

PAGE 125

zwei unbedeutende Anzeigen: *Göttingische gelehrte Anzei-*

gen (January 1782) and *Gothaische gelehrte Zeitungen* (August 1782). The second of these, by Garve, was important enough to provoke Kant to a detailed answer in *Prolegomena zu jeder künftigen Metaphysik* (1783). The reception of the first edition was such as to cause Kant's publisher some uneasiness.

Schütz: Christian Gottfried. Founder in 1785 of the *Jenaische Allgemeine Litteratur-Zeitung*, in which Kantian views were propagated.

Schultz: Johann. Court Chaplain and Professor of Mathematics in Königsberg, a disciple of Kant, whose works he popularized from 1784 onwards.

Reinhold: Karl Leonhard. Austrian philosopher. His *Briefe über die Kantische Philosophie*, a popular introduction to Kant, appeared in Wielands' *Teutscher Merkur* in 1786–7 and in book form in 1790–2.

kürzlich erschienene Sammlung: Heine refers to *Vermischte Schriften* (Halle and Königsberg), 1799–1807.

Allgemeine Naturgeschichte und Theorie des Himmels: published anonymously in 1755. In it, Kant put forward the theory now known to physicists as the nebular hypothesis.

Beobachtungen über das Gefühl des Schönen und Erhabenen: first published in Riga, 1771.

Träume eines Geistersehers: *Träume eines Geistersehers; erläutert durch Träume der Metaphysik* (1766). In the course of an attack on the theosophist Swedenborg, Kant criticizes metaphysics in general, defining it as the science of the boundaries of human reason.

Der Witz: Cf. Heine to Moser, 1 July 1825 (*Briefwechsel*, I, 367). "Nur dann ist mir der Witz erträglich, wenn er auf einem ernsten Grunde ruht."

PAGE 126

gegen das Genie: *Kritik der Urteilskraft*, Part I, Division I, paras. 46 and 47.

Die mathematische Form: *Kritik der reinen Vernunft;* II. *Transzendentale Methodenlehre;* Ch. I, Sec. 2. *Die Disziplin der reinen Vernunft im dogmatischen Brauche*, in which Kant develops the difference between philosophical and mathematical form.

PAGE 128

Schön: Schön published a work on the transcendental philosophy in 1831, referred to in *Zeitschrift für Philosophie*, 1848, N.F., IX, 77.

das Hauptbuch von Kant: the other major works of Kant were *Kritik der praktischen Vernunft* (1788) and *Kritik der Urtheilskraft* (1790).

PAGE 129

Plato: *Republic*, VII, 514a–515b. Heine paraphrases the original freely.

Kopernikus: in the preface to the second edition of the *Kritik der reinen Vernunft* a comparison is made between Kant's view of metaphysics and the Copernican hypothesis.

PAGE 130

denjenigen Abschnitt: *Kritik der reinen Vernunft;* II. *Transzendentale Elementarlehre;* Part II, Division I, Book 2, Ch. III. *Von dem Grunde der Unterscheidung aller Gegenstände überhaupt in Phaenomena und Noumena.*

Grenzbegriff: a Kantian term. See *Kritik der reinen Vernunft;* I. *Transzendentale Elementarlehre;* Part II, Division I, Book 2, Ch. III, in which Kant describes the Noumenon as a limitative concept, negative in use and intended to keep the claims of sensibility within bounds.

PAGE 131

Die Danteschen Worte: typical of the misprints abounding in *Der Salon*, the first edition had "die Kanteschen" and the second "die Kant'schen Worte". In the French edition, the original Italian is quoted, "Lasciate ogni speranza (voi ch'entrate)."

von den Beweisgründen: *Kritik der reinen Vernunft;* I. *Transzendentale Elementarlehre;* Part II, Division II, Book 2, Chap. III, Sec. 3.

Kritik aller spekulativen Theologie: ibid., Sec. 7.

und vernichtet ... Deisten: interpolated from the original manuscript. The passage does not appear in either edition of *Der Salon*.

die drei Hauptbeweisarten: the ontological proof uses arguments based on the nature of existence or being, defines God as the Being than whom no greater can be conceived and deduces from the conception of God His existence. The cosmological proof deduces the existence of God from our own existence and

argues that because at least one thing (i.e. oneself) exists, a
necessary and Supreme Being must exist. The physico-theologi-
cal or teleological proof deduces the existence of God from the
appearance of intentional causality in the universe.

Es sind nur drei Beweisarten: *Kritik der reinen Vernunft;
I. Transzendentale Elementarlehre;* Part II, Division II, Book 2,
Chap. III, Sec. 3.

PAGE 132

Gott ist alles: Cf. note to page 88 and *Die Romantische
Schule* (*Werke*, V, 352 ff.). See also the poem *Seraphine* (*Werke*,
I, 228):

Und Gott ist Alles, was da ist;
Er ist in unsern Küssen.

Der Verfasser . . . reifsten Deisten: omitted in the second
French edition which continues: "En Occident comme en Orient
ils se sont épuisés en hyperboles."

PAGE 134

Descartes: in the fifth of his *Mediationes de prima philosophia*
(1641), Descartes uses a form of the ontological proof, defining
God as a Being who has all perfections including that of existence.
He later denied that he was merely repeating Anselm's version of
it. Kant speaks of the argument as "the ontological (or Cartesian)
proof" and examines it in the form revived by Descartes only.

Anselm: see note to page 22. Anselm uses the proof in his
Monologion de Divinitatis essentia and in his *Proslogion seu Allo-
quium de Dei existentia*. The latter was in the form of an address
to God and is no doubt the "Gebetform" to which Heine refers.
Strodtmann reads "rührender" instead of "ruhender".

Augustin: Augustine anticipates the ontological proof in *De
lib. arb.*, II, 9 ff.; *Conf.* VII, 4; *De trinit.* VIII, 3.

der Oberherr der Welt . . . Blute: modified in the second
French edition to: "La déité elle-même, privée de démonstration,
a succombé."

der alte Lampe: the incident is an invention of Heine but has
passed into the Kant legend.

PAGE 135

die praktische Vernunft: in the *Kritik der praktischen Vernunft* and the *Grundlegung zur Metaphysik der Sitten* (1785), Kant
applies his critical method to the will and formulates the ethical

principles for which he is famous. His verbal distinction between theoretical and practical reason and his acceptance in the *Kritik der praktischen Vernunft* of principles which he had not proved in the *Kritik der reinen Vernunft* exposed him to much criticism of the type made here by Heine. The passage referred to is *Kritik der praktischen Vernunft;* Part I, Book 2, Sec. 2: *Das Dasein Gottes als ein Postulat der rein praktischen Vernunft.*

PAGE 136

Manche unserer Pessimisten: in the French versions, allusion is made to the belief cherished in French counter-revolutionary circles that Robespierre was an agent of Pitt.

PAGE 137

Schiller: Schiller devoted himself to the study of Kant in the winter of 1790–1. His subsequent aesthetic writings abound in Kantian terminology and ideas but he had already begun to move away from Kant in the *"Kalliasbriefe"* (1793).

Thiers: Louis Adolphe. Author of *Histoire de la Révolution française* (1824–7).

Mignet: François Auguste. Author of *Histoire de la Révolution française* (1824).

Fichte: Johann Gottlieb. Professor of Philosophy in Jena, 1794–9; in Erlangen, 1805; and in Berlin, 1809–14. Made Rector of the University of Berlin in 1811.

PAGE 138

seine erste Abhandlung: *Versuch einer Kritik aller Offenbarung* (1792). This was published anonymously in Königsberg without the preface in which the author announced himself as a "beginner". It was reviewed in the *Jenaische Allgemeine Litteratur-Zeitung* as a work of Kant.

PAGE 140

Wissenschaftslehre: Fichte's "theory of knowledge" dominated his system of thought and was developed in a number of works ranging from *Über den Begriff der Wissenschaftslehre* (1794) to *System der Sittenlehre nach Prinzipien der Wissenschaftslehre* (1798).

einer abstrakten Formel: the formula appears in *Grundlage der gesammten Wissenschaftslehre* (1794).

Fichtesche Gans: the caricature appeared in Brentano's *Der Philister vor, in und nach der Geschichte* (1811).

Jean Paul: *Clavis Fichteana, seu Leibgeberiana. Anhang zum ersten komischen Anhange des Titan* (1800). This appeared on the publisher's advice as an appendix to the novel *Titan*. Cf. *Faust, Zweiter Teil*, Act 2, l. 6794 ff.

PAGE 141

Napoleon: Cf. *Einleitung zu "Kahldorf über den Adel, in Briefen an den Grafen M. von Moltke"* (*Werke*, VII, 281), where Heine compares the history of the French revolution and of German philosophy and speaks of Fichte as "der Napoleon der Philosophie".

PAGE 143

ein Fragment: the source is *Joh. Gottl. Fichtes Leben und literarischer Briefwechsel von seinem Sohne, I. H. Fichte* (Sulzbach, 1830–1), I, 175 ff.

PAGE 145

Brief an Kant: *Joh. Gottl. Fichtes Leben*, I, 177 ff.

PAGE 146

Am dritten September: ibid., I, 184–5.

PAGE 147

in Jena: Fichte replaced Reinhold in Jena in 1794.

Anklage wegen Atheismus: *Joh. Gottl. Fichtes Leben*, I, 342 ff. and II, 98 ff., where the affair is chronicled.

Ueber den Grund unsers Glaubens an eine göttliche Weltregierung: first published 1798. *Johann Gottlieb Fichtes sämmtliche Werke*, ed. J. H. Fichte (Berlin, 1845), V. Reprinted in *Joh. Gottl. Fichtes Leben*, II, 98 ff.

PAGE 148

Appellation: *Appellation an das Publikum gegen die Anklage des Atheismus, eine Schrift, die man erst zu lesen bittet, ehe man sie konfiscirt* (1799). Fichte's *Werke*, V.

Herder: see Rudolf Haym, *Herder nach seinem Leben und seinen Werken dargestellt* (Leipzig, 1877–85), II, 684 ff.

Kandidaten der Theologie: see Maria Caroline Herder, *Erinnerungen aus dem Leben Johann Gottfried von Herder* (Tübingen, 1820), II, 128 ff. and 134 ff.

Nach Reinholds Abgang . . . zuzogen: Goethe, *Annalen oder Tag-und Jahreshefte*, 1794.

PAGE 149

Fichte hatte ... bedauern: ibid., 1803. Heine quotes the passages from *Joh. Gottl. Fichtes Leben*, II, 140 ff.

PAGE 151

seiner Memoiren: *Aus meinem Leben, Dichtung und Wahrheit*, Book 14 (published 1814) and Book 16 (published 1833).

Beschäftigung mit Spinoza: *Italienische Reise*, 12 Oktober 1786.

PAGE 153

Höllenzwangs: Remainder of paragraph was deleted in the original manuscript.

PAGE 154

Die Lebendige: from *Über den Grund unsers Glaubens an eine göttliche Weltregierung*. Quoted here from *Joh. Gottl. Fichtes Leben*, II, 108–9.

PAGE 155

ordo ordinans: see Fichte, *Werke*, V, 182 and 210 ff., where God is equated with the moral order.

PAGE 156

Ermattung: *Joh. Gottl. Fichtes Leben*, II, 281 ff.

PAGE 157

Verbindung Russlands mit Östreich: the Second Coalition against France (1798).

Gesandtenmord: the Congress of Rastatt which met to deal with the settlement of Campo Formio was dissolved on the initiative of Austria in April 1799. On 28 April the French envoys, Roberjot, Bonnier and De Bry were attacked by Hungarian hussars, the two first being killed.

S. und G.: in Fichte's letter the names Schiller and Goethe appear in full. For their reaction to the incident see Goethe to J. H. Meyer, 7 and 9 May 1799 (Goethes *Werke*, Weimar edition, IV Abt., 14 Bd., 1893, 80, 82) and Schiller to Goethe, 7 June 1799 (*Briefe*, ed. Fritz Jonas, Vol. 6, 40–1).

Rosenmüllersche Aufklärung: a reference to the activities of Johann Georg Rosenmüller (1736–1815), Professor of Theology in Leipzig, noted for his reforms of the Liturgy and in the field of education.

PAGE 159

Ich bemerke ... in der Fremde: deleted in the first edition of *Der Salon* by Campe or the censor.

PAGE 160

Heiberg: Peter Andreas. Writer of comedies and a *Précis historique de la monarchie danoise*, expelled from Denmark on political grounds, and employed for a time in the French Foreign Ministry in Paris, where he died.

Forster: Johann Georg. Traveller and naturalist. A member of the Mainz Jacobin Club, he went to Paris in 1793 to negotiate the union of the left bank of the Rhine with France. Banned from the Empire, he died in France.

PAGE 161

die zweite Periode: i.e. after his move to Berlin. In *Die Bestimmung des Menschen* (1800), *Werke*, II, 165 ff., Fichte proclaims the end of existence to be action, not knowledge. In *Die Anweisung zum seligen Leben* (1806) he deals with the relation of finite spirits to the universe and formulates a corporate ethical creed. To this period also belong the *Reden an die deutsche Nation* (1808) and *Der geschlossene Handelsstaat* (1800).

PAGE 162

Schelling: Friedrich Wilhelm Joseph von. Professor of Philosophy in Jena in 1798 and In Würzburg in 1803. For long active in Munich as a Member of the Academy and Director of the Academy of Arts, he was given the Chair of Philosophy there in 1827. Called to Berlin in 1841 by Frederick William IV to counter the influence of Hegel but withdrew from academic life in 1846. Cf. *Die Romantische Schule* (*Werke*, V, 292 ff.) where Schelling is harshly treated.

ein späteres Buch: never written—but Heine touches on the subject in *Die Romantische Schule* and *Elementargeister*.

PAGE 163

Ideen zu einer Philosophie der Natur: see *F. W. J. von Schelling's sämmtliche Werke* (Stuttgart and Augsburg, 1860), Division I, II, 1 ff. In this work, Schelling attempts to connect the main principles of Fichte with the philosophy of nature expounded by Kant in his *Metaphysische Anfangsgründe der Naturwissenschaft* and *Kritik der Urteilskraft*.

System des transzendentalen Idealismus: *Werke*, Division I, III, 327 ff. In this work, Schelling attempts to co-ordinate his philosophy of nature and his theory of knowledge without yet seeking a unity comprising both.

PAGE 165

Herr Schelling selber sagt: see *Philosophische Untersuchungen über das Wesen der menschlichen Freiheit und die damit zusammenhängenden Gegenstände* (*Werke*, Division I, Vol. VII, 410 (note).

PAGE 166

die Eleaten: the Eleatics, a Greek philosophical school of the sixth century B.C. formulated a type of Pantheism and taught the illusory nature of plurality and change.

Zeitschrift für spekulative Physik: the second volume contained Schelling's *Darstellung meines Systems der Philosophie* (*Werke*, Division I, Vol. IV) in which he proclaimed: "Die absolute Identität ist absolute Totalität."

Bruno: 1802. *Werke*, Division I, Vol. IV. In this work Schelling, drawing on Spinoza and Plato, attempts to enrich and give some feature to the absolute reason which he held to be the ground of reality.

Bruno: Giordano (1548–1600). Italian mystic, burnt at the stake in Rome as a heretic. His form of Pantheism, which influenced many German thinkers, viewed God variously as the unity of opposites, as *natura naturans* and as the supreme monad —*monas monadum*.

PAGE 167

Philosophie und Religion: *Werke*, Division I, VI, 11 ff.

die Lehre vom Absoluten: Fichte and especially Hegel, in the preface to his *Phänomenologie des Geistes*, criticized Schelling's concept of the absolute as a featureless identity.

mystischer Intuition: in his later works, e.g. *Philosophische Untersuchungen über das Wesen der menschlichen Freiheit* and his Berlin lectures on mythology, Schelling endeavoured to give some degree of difference and internal structure to the absolute.

PAGE 168

David: a journalist and friend of Heine, who reviewed his *De la France* in *l'Europe littéraire*.

P

Hegel: see *Geständnisse* (*Werke*, VI, 46 ff.). Heine had intended to include a popular survey of Hegel's thought in a later edition of *De l'Allemagne* and worked in Paris for two years upon it. He eventually abandoned the project and burned the manuscript.

Staat und Kirche: Prussia and the Lutheran Church. Hegel's philosophy was used as a sanction for the politico-religious system prevailing in Prussia but its revolutionary implications were exploited by the *Junghegelianer* and notably by Marx.

PAGE 170

Ballanche: Pierre Simon. Theocratic philosopher, author of the fragmentary *Essais de palingénésie sociale* (1828).

PAGE 171

zu München: Heine's failure to obtain a professorship at Munich, to which he went in 1827 at the invitation of Cotta, embittered him permanently against the Catholicism which coloured its intellectual life. See his letter to Immermann of 19 December 1832 (*Briefwechsel*, II, 27–8), and cf. the suppressed passage of *Atta Troll*, Kaput 22 (*Werke*, II, 533) in which Görres ("Pater Joseph") embodies the spirit of "Monacho Monachorum".

PAGE 172

herunterkommener Herrlichkeit: Cf. *Die Romantische Schule* (*Werke*, V, 294) where he refers to Schelling as "ein herunterkommener, mediatisierter Philosoph".

Euer grosser Elektiker: Victor Cousin. Philosopher and statesman who attained eminence under the Louis Philippe régime. His philosophy, as developed in his *Cours de l'histoire de la philosophie moderne* (1841) and his *Fragments philosophiques* (1826), represents an application of the method of observation and induction to the history of philosophy and an attempt to integrate the truth in each system. He was personally acquainted with Hegel and Schelling and did much to spread a knowledge of German thought in France. In the second French edition of *De l'Allemagne*, "votre grand éclectique" is modified to "certains missionaires allemands".

PAGE 173

Oken: Lorenz. Swiss natural philosopher, politically active in the cause of a united German empire, and a notable organizer in the field of natural science. Professor of Medicine in Jena, 1807–19; Professor of Physiology in Munich, 1827–32. Appointed Professor of Natural History in Zürich in 1833 and became the first Rector of Zürich University.

Müller: Adam Heinrich. Publicist and political economist who rose to favour under Metternich in Vienna. Austrian Consul-General to Saxony from 1817 to 1827. Author of *Elemente der Staatskunst* (1809) and *Von der Notwendigkeit einer theologischen Grundlage der gesamten Staatswissenschaften* (1819).

Görres: Johann Joseph von. Called to Munich in 1827 as Professor of History by Ludwig I and became a leader of the Clerical party. His mysticism and ultramontanism are attacked by Heine on several occasions. See *Die Romantische Schule* (*Werke*, V, 296–7).

Haxthausen: Werner, Freiherr von. Author of *Über die Grundlagen unserer Verfassung*, an application of natural philosophy to politics (1833).

Steffens: Henrik. Norwegian natural philosopher and poet, disciple of Schelling. Professor of Natural Philosophy, Physiology and Mineralogy in Halle, 1804–11; Professor of Physics at Breslau, 1811–31; called to Berlin as Professor of Natural Philosophy in 1831. Cf. *Die Romantische Schule* (*Werke*, V, 295–6).

PAGE 174

Wir werden nicht so törigt sein . . . Göttin der Weisheit: deleted by Campe or the censor from the first edition of *Der Salon*.

PAGE 178

Kronprinz von Preussen: in the original manuscript "Prinz von Kyritz".

Doktor Wirth: Johann Georg August. Liberal patriot and historian, largely responsible for the organization of the "Hambacher Fest" (27 May 1832).

APPENDIX

DEDICATION OF THE FIRST EDITION OF *DE L'ALLEMAGNE* TO PROSPER ENFANTIN[1]

A PROSPER ENFANTIN
en Egypte

Vous avez désiré connaître la marche des idées en Allemagne, dans ces derniers temps, et les rapports qui rattachent le mouvement intellectuel de ce pays à la synthèse de la doctrine.

Je vous remercie de l'honneur que vous m'avez fait en me demandant de vous édifier sur ce sujet, et je suis heureux de trouver cette occasion de communier avec vous à travers l'espace.

Permettez-moi de vous offrir ce livre; je voudrais croire qu'il pourra répondre au besoin de votre pensée. Quoi qu'il en puisse être, je vous prie de vouloir bien l'accepter comme un témoignage de sympathie respectueuse.

HENRI HEINE

[1] Reprinted from *Werke*, IV, 568.

ERKLÄRUNG[1]

HEINE'S DECLARATION OF PROTEST IN THE
AUGSBURGER ALLGEMEINE ZEITUNG
OF 27 MARCH 1835

Der Verfasser des zweiten Teils des „Salon von H. Heine", welcher bei Hoffmann und Campe in Hamburg erschienen, benachrichtigt das Publikum, daß dieses Buch, von der Verlagshandlung eigenmächtig abgekürzt und zugestutzt, in einer verstümmelten Gestalt gedruckt worden ist. Diejenigen Zeitungsredaktionen, die wenigstens gegen Buchhändlerwillkür die deutsche Schriftstellerwürde vertreten wollen, werden ersucht, diese Anzeige der öffentlichen Kunde zu übergeben.

Paris, 19. März 1835.

[1] Reprinted from *Werke*, IV, 146.

BIBLIOGRAPHY

A VALUABLE general bibliography of Heine will be found in H. G. Atkins, *Heine* (London, 1929), pp. 265 ff. The selection given below has been made with specific reference to *Zur Geschichte der Religion und Philosophie in Deutschland*.

I. ORIGINAL EDITIONS

(a) GERMAN

Der Salon von H. Heine. Zweiter Band. Hamburg bei Hoffman und Campe. (January 1835; second edition, 1852.)

(b) FRENCH

"De l'Allemagne depuis Luther." *Revue des deux mondes*, 1 March, 15 November, 15 December 1834.

Œuvres de Henri Heine, V & VI: *De l'Allemagne*, I & II. (Paris, April 1835.)

Œuvres de Henri Heine. De l'Allemagne, I & II. Nouvelle édition entièrement revue et considérablement augmentée. (Paris, 1855.)

II. ENGLISH TRANSLATIONS

The Works of Heinrich Heine. Translated from the German by Charles Godfrey Leland. (London, 1892–1905.) Vol. V: *Germany*.

Religion and Philosophy in Germany: a Fragment. By Heinrich Heine. Translated by John Snodgrass. (London, 1882.)

The Prose Writings of Heinrich Heine. Edited by Havelock Ellis. (London, 1887.) (Excerpts only.)

Prose Miscellanies from Heine. Translated by S. L. Fleishman. (Philadelphia, 1876.) (Excerpts only.)

III. Correspondence and Criticism

Friedrich Hirth, *Heinrich Heines Briefwechsel.* (München, 1914–20.)

E. M. Butler, *The Saint-Simonian Religion in Germany.* (Cambridge, 1926.)

Ludwig Geiger, *Das junge Deutschland und die preußische Zensur.* (Berlin, 1900.)

Jules Legras, *Henri Heine, poète.* (Paris, 1897.)

Henri Lichtenberger, *Henri Heine, penseur.* (Paris, 1905.)

Georg Mücke, "Heinrich Heines Beziehungen zum deutschen Mittelalter." *Forschungen zur neueren Literaturgeschichte.* XXXIV. (Berlin, 1908.)

Karl Rosenberg, "Heine und Börne über Deutschland" (1835), in *Geistige Feldzüge.* (Berlin, 1857.)

Alfred Schellenberg, *Heinrich Heines französische Prosawerke, Germanische Studien.* (Berlin, 1921.)

Kurt Sternberg, *Heinrich Heines geistige Gestalt und Welt.* (Berlin—Grünewald, 1929.)

Adolf Strodtmann, *Heinrich Heines Leben und Werke.* (Hamburg, Leipzig, 1883–4.)

W. Suhge, *Saint-Simonismus und Junges Deutschland. Germanische Studien.* (Berlin, 1935.)

Edmond Vermeil, *Henri Heine: Ses vues sur l'Allemagne et les révolutions européennes.* (Paris, 1939.)